KB196524

꽃과 풀벌레의 아름다움에 깃든 소망, '초충도' 그리기

풀과 곤충

남윤희 지음

우리 집 마당에 피어난 풀꽃과 곤충에
자연의 신비와 일상의 소박함이 오롯이 담겨있다

초충도(草蟲圖)는 이름 그대로 우리 주변에서 흔히 접할 수 있는 풀과 꽃, 벌레 등을 통해 자연의 신비와 일상의 소박함을 동시에 느낄 수 있는 그림이다. 민화의 다른 화목들과 마찬가지로 초충도는 한 송이 꽃과 풀, 나비, 사마귀, 개구리 등을 통해 화목, 다산, 합격, 출세 등 가족이 잘 되기를 바라는 간절한 소망을 담은 길상의 그림이다.

초충도로 유명한 이를 꼽으라면 많은 사람들이 조선중기의 화가이자 시인 사임당 신씨를 떠올릴 것이다. 사임당의 작품 중에서도 특히 초충도가 다수 전해 내려오기 때문이기도 하거니와 많은 민화작가들이 이를 모사하고 응용하면서 새로운 작품세계로 뻗어나가는 동기부여로 삼기 때문이다. 이 책에 실린 4점의 작품들 중에도 3점이 그의 작품이 아니던가.

물론 사임당 외에도 초충도를 잘 그린 조선시대 화가들은 많다. 유독 나비에 천착했던 일호 남계우는 나비 그리기를 즐겨한다고 하여 '남나비'라는 별호로 불리기도 했을 정도다. 또한 초충도는 화조도, 영모도 등과도 비슷한 계열에 속하는 그림이므로 화조와 영모를 잘 그리는 화가들은 초충도 역시 잘 그렸다고 한다. 심사정, 고진승, 박기준 역시 풀벌레를 잘 그리기로 유명한 화가들이었다.

민화를 그려온 20여 년, 긴 세월의 경험이 작은 도움이라도 될 수 있다면, 이 책을 읽는 모든 사람들에게 하나도 빠짐없이 전해주고 싶은 마음을 담아 붓으로 그리고 펜으로 글을 적어 내려갔다. 제자들과 후진들을 위해 그리고 민화를 배우려는 모든 이들에게 큰 도약을 위한 밑거름이 되었으면 하는 바람으로 이 책을 선보인다.

남윤희

contents

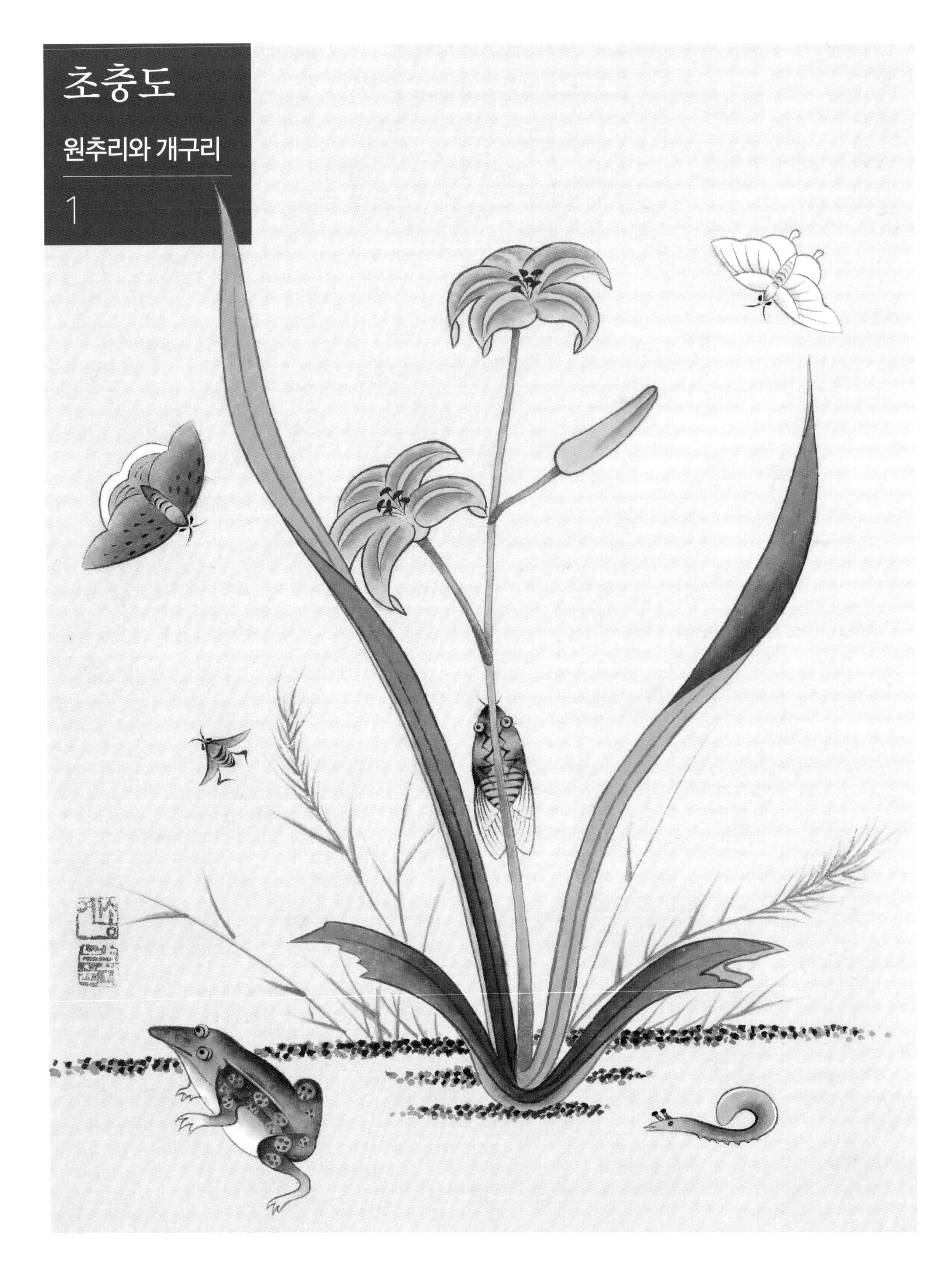
초충도
원추리와 개구리
1

작품설명 & 포인트

산수, 화훼, 초충도에 두루 능했다고 전해지는 조선시대의 여류화가 신사임당의 작품으로 전해지는 8폭 병풍 중 한 폭이다. 원추리 꽃을 중심으로 나비, 매미와 벌, 민달팽이 등이 한데 어우러져 꽉 찬 화면을 연출했다.
중심소재인 원추리는 의남화(宜男畵)라고 불릴만큼 다산(多産)을 상징하는 대표적인 꽃이다. 상징으로 가득 찬 길상의 그림이지만, 이런 의미가 아니더라도 정감 넘치는 감상용 그림으로도 손색이 없다. 조선시대 여염집 마당에서 흔히 볼 수 있었을 정겨운 풍경을 안정된 구도와 선명한 색채로 표현한 수작이다. 특유의 은은하고 고운 컬러와 움직이는 곤충의 생동감을 잘 표현하는 것이 그리기의 포인트다.

TIP 나비나 벌 같은 곤충의 날개는 아주 연하게 그려야 가볍게 나는 듯한 느낌을 표현할 수 있다.

본뜨기

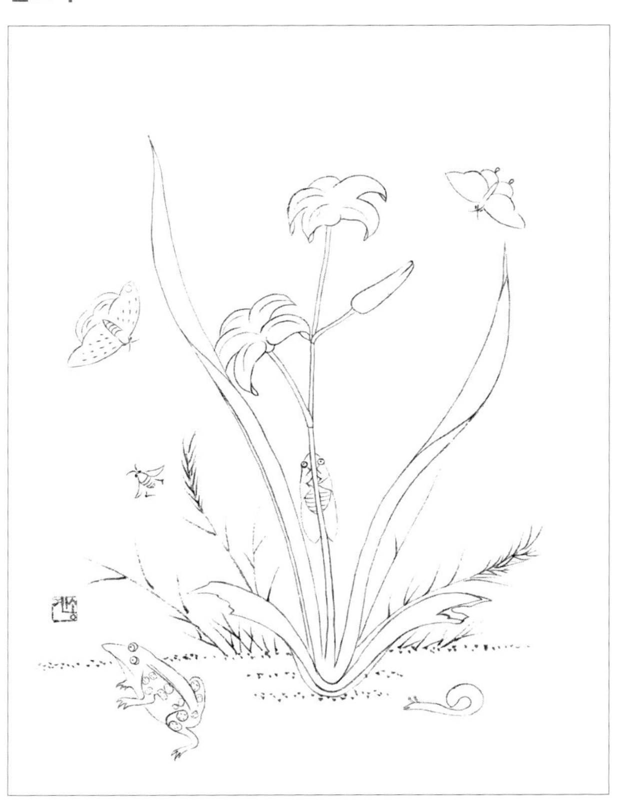

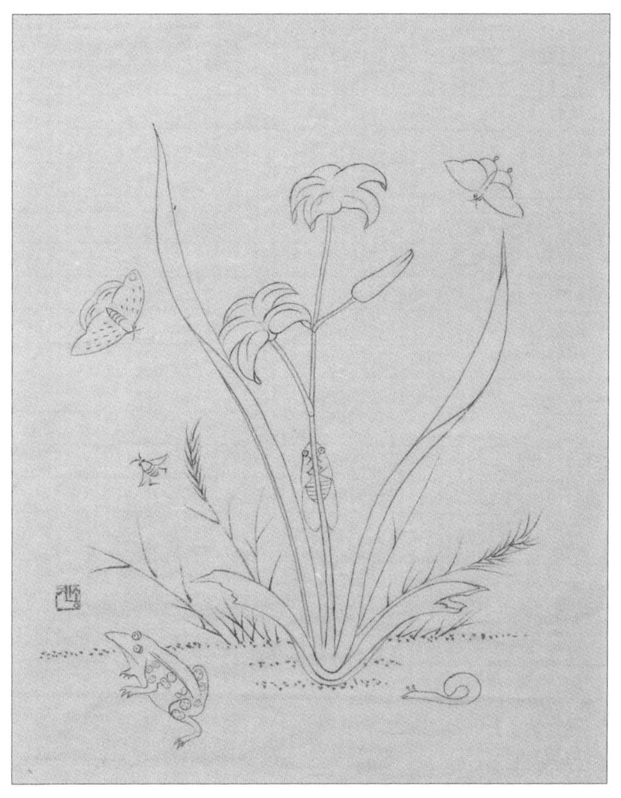

01 순지 위에 중먹과 대자 봉채를 섞어 밑그림을 그린 후 치자물, 커피, 양파껍질 달인물 등에 아교물을 섞어 바탕칠을 한다. 바탕색이 연할 경우 바탕 포수 후 밑그림을 그리면 밑그림 선이 덜 번지는 장점이 있다.

원추리 그리기

02 원추리꽃 바탕은 황주 + 황 + 호분을 넣어 2회 채색한다.

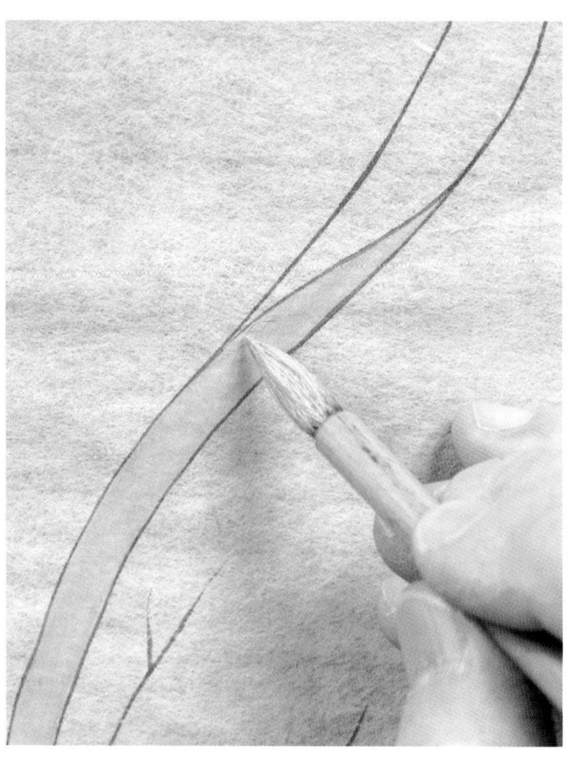

03 원추리의 잎 뒷면은 호분 + 녹청 + 황토 + 대자로 2회 채색한다.

바탕 채색은 보통 2회 정도 하면 깔끔하고 바림에도 도움이 된다. 단 흰 채색은 종이 바탕이 진할 경우 3회로 한다.

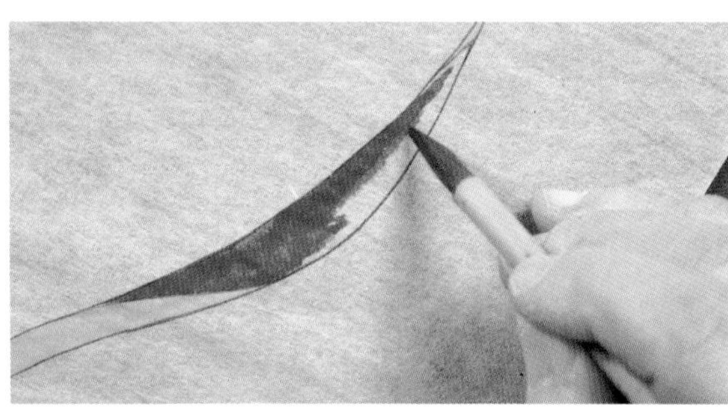

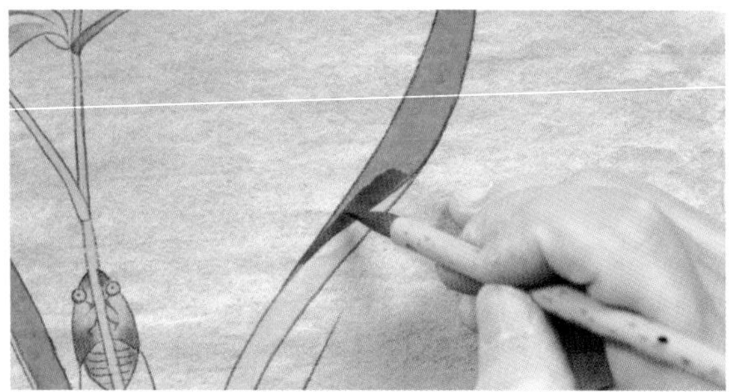

04 잎사귀 앞면 바탕은 녹청 + 호분 + 황토로 2회 채색한다.

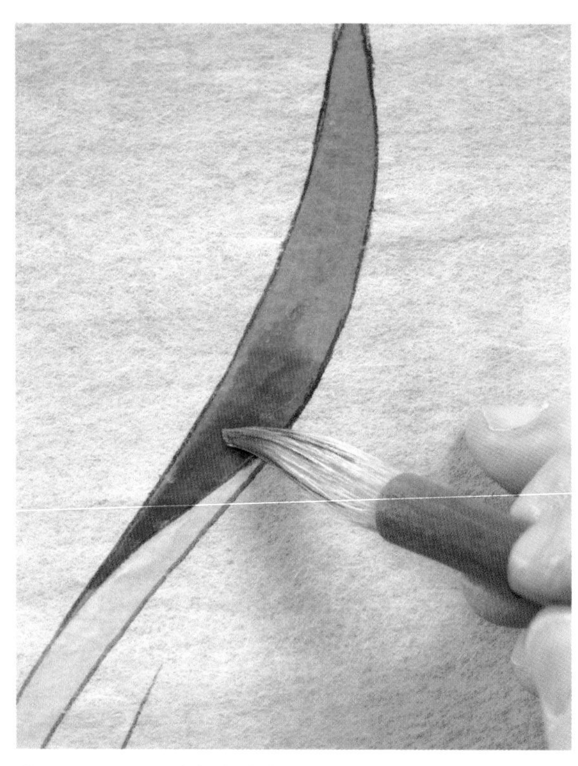

05 초록 잎사귀 앞면은 녹청 + 대자를 섞어 중심선에서 끝을 향해 바림한다.

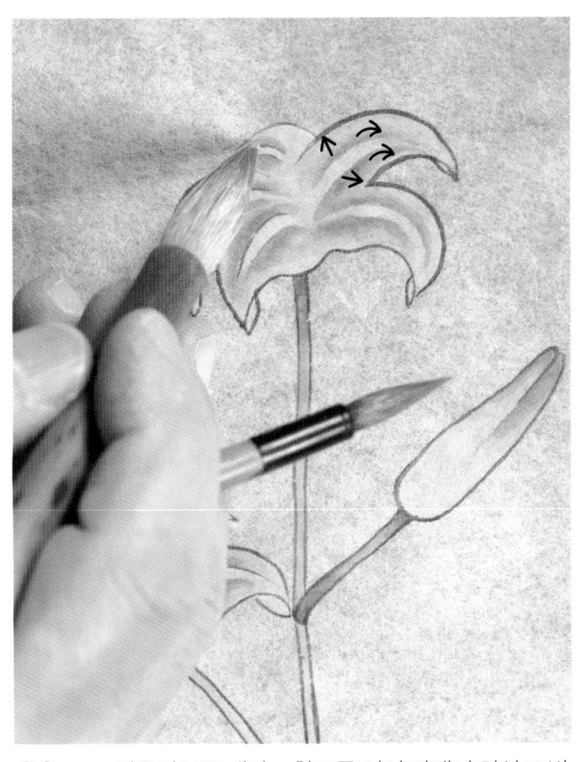

06 원추리꽃은 대자 + 황토를 섞어 안에서 화살표 방향으로 바림한다.

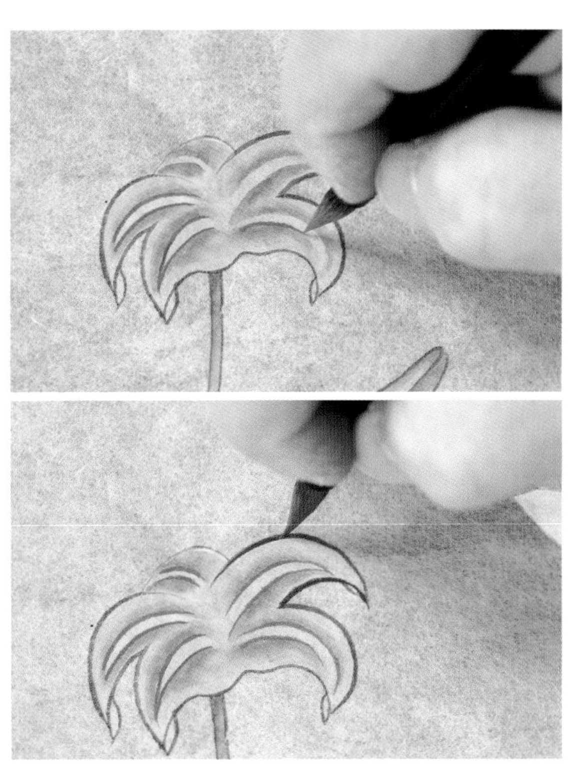

07 원추리꽃의 선은 대자 + 황토를 섞어 중심(연한)과 바깥(진한)선을 친다.

08 원추리 꽃술은 대자 + 연지를 섞어 꽃술을 찍고 대를 그린다.

09 주변 풀들은 녹청 조금 + 황토를 섞어 하나씩 치고 몇 개는 대자를 섞어 시작 부분에 진하게 한 번 더 쳐서 강조 해준다.

10 원추리가 뿌리를 내린 바닥의 흙을 표현하기 위해 황토 + 대자 조금 + 녹청 조금 섞어 점을 찍는다.

TIP 흙 위에 점은 원추리를 기준으로 중심 쪽을 많이 찍고 바깥으로 갈수록 점점 옅게 찍는 게 좋다.

11 여기에 대자 + 검정을 더해 2차로 진한 점을 찍는다.

개구리 그리기

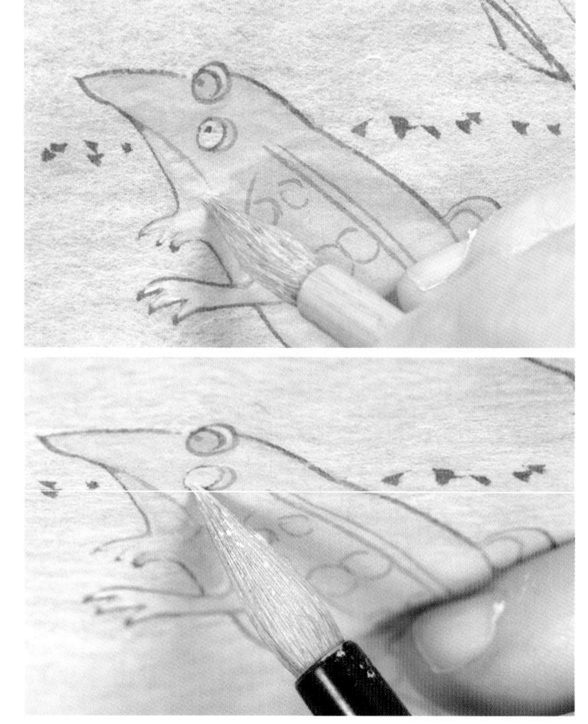

12 개구리 바탕은 호분 + 녹청 + 황토 + 대자로 2회 채색한다.
눈은 황토 + 황 + 호분으로 채색한다.

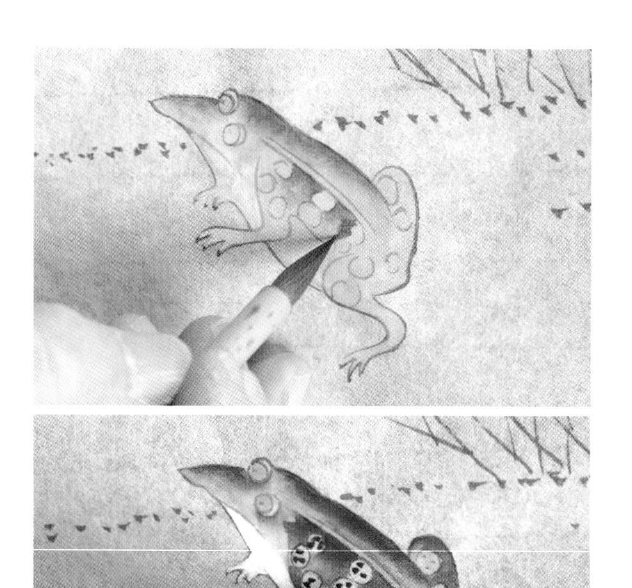

13 등의 문양은 머리와 등, 몸통 중심을 녹청 + 대자로 바림한 뒤, 녹청 + 대자를 짙게 더해 점과 선을 표현한다.

14 턱, 배 부분은 호분으로 배에서 등 방향으로 바림한다.

15 눈은 검정으로 바라보는 방향에 맞게 그린다.

흰나비 그리기

16 흰나비의 날개, 몸통 바탕은 호분으로 2회 채색한다.

TIP 바림은 날개와 몸통에 음영을 표현한다는 느낌으로 살짝 해준다.

17 황토 + 대자 + 호분으로 몸통과 머리, 날개를 약하게 바림한다.

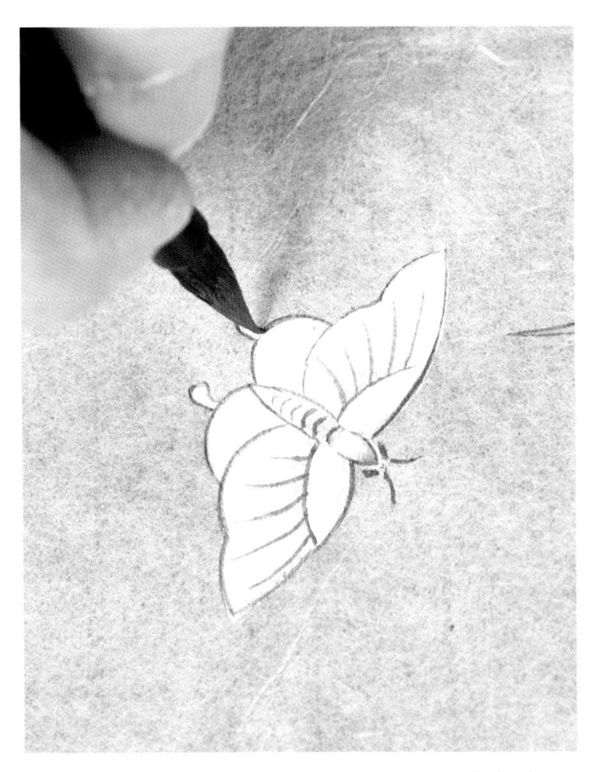

18 선을 칠 때 날개 끝자락은 되도록 약한 선으로 표현한다.

19 검정색으로 눈과 더듬이를 그린다.

붉은 나비 그리기

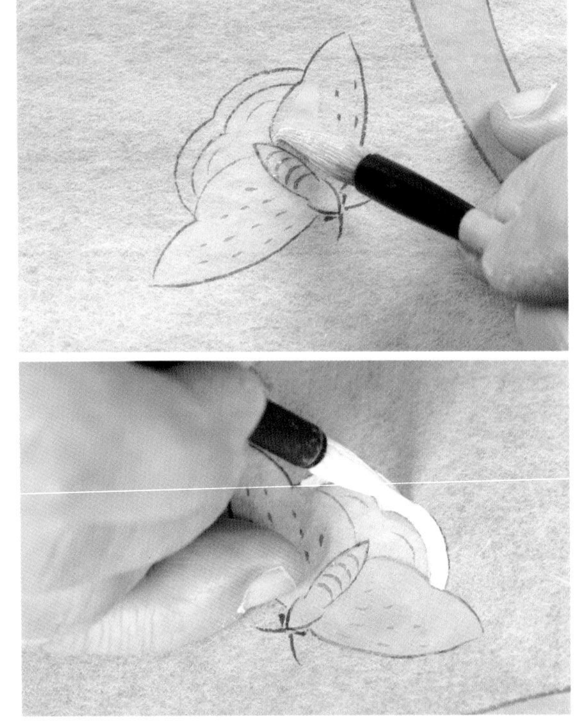

20 붉은 나비는 황토 + 황 + 호분으로 날개와 몸통을 2회 채색하고 날개 끝은 호분으로 2회 채색한다.

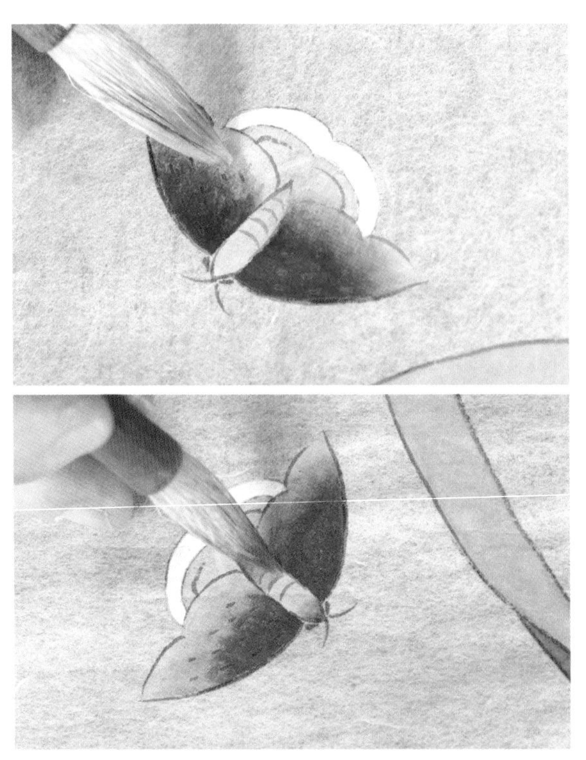

21 홍주(주홍) + 황토를 섞어 날개만 바림한다. 황토 + 대자로 머리, 몸통을 바림한다.

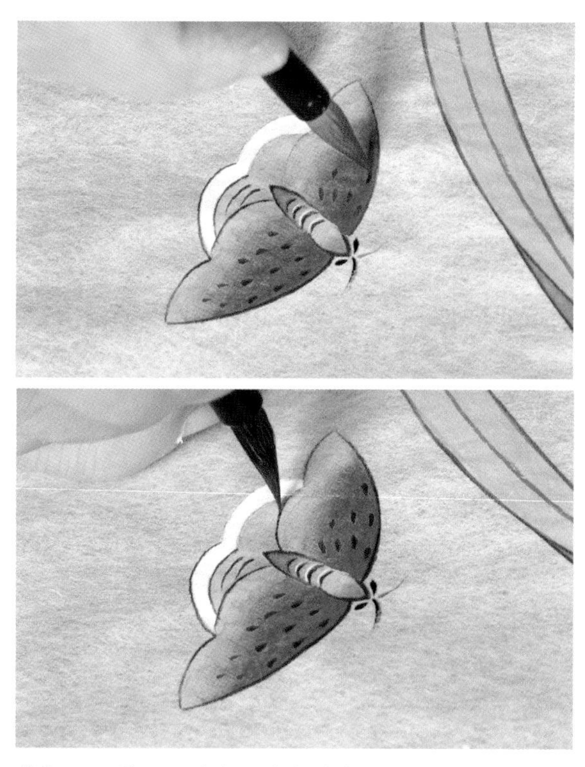

22 황토 + 대자를 짙게 해서 날개의 점무늬를 깨 모양으로 찍은 뒤 몸통 선을 치고, 날개 끝은 가늘게 선을 친다.

23 눈과 더듬이는 흰나비와 동일하다.

민달팽이 그리기

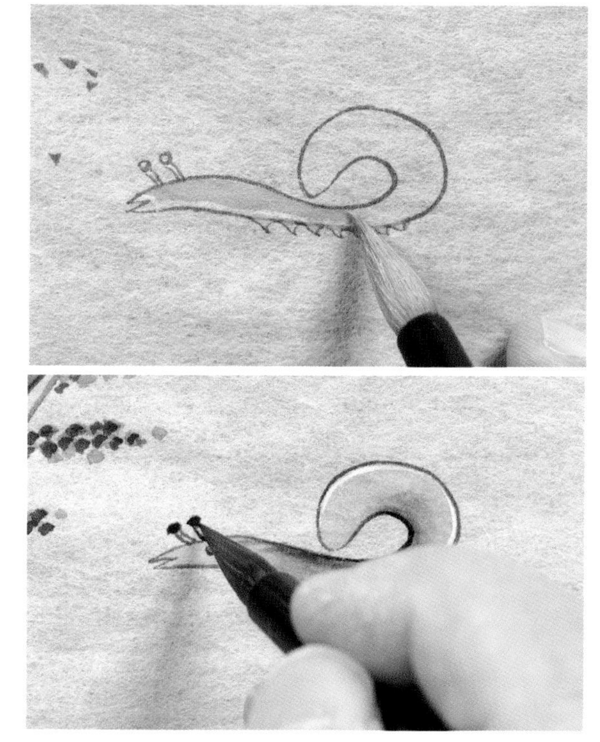

24 민달팽이는 보통 바탕을 황토 + 호분 + 녹청 약간으로 1회만 채색한다.
검정으로 눈을 그린다.

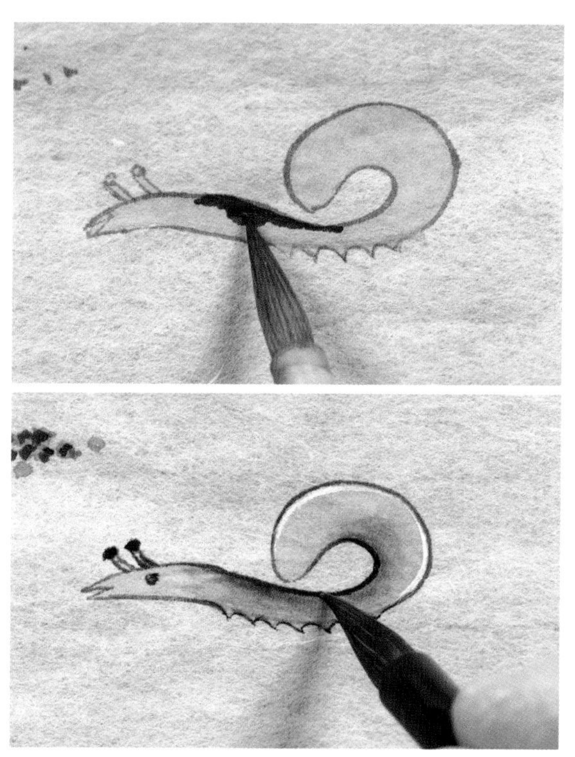

25 황토 + 대자 + 검정으로 등 쪽을 바림하고 선(몸통, 더듬이)도 친다.

매미와 벌 그리기

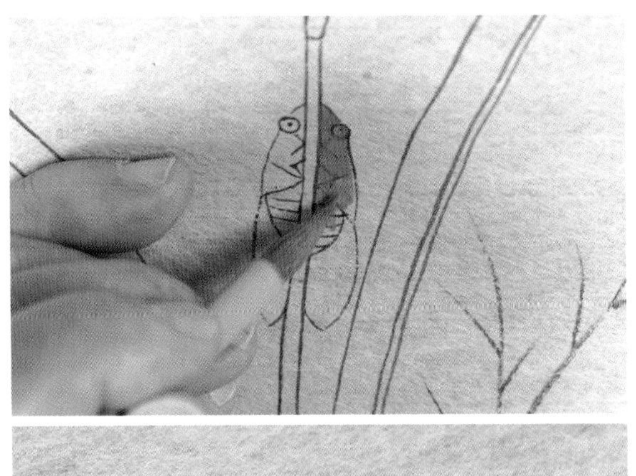

26 매미와 벌은 황토와 호분, 녹청 약간으로 몸통만 1회 채색한다.

27 민달팽이와 동일하게 황토 + 대자 + 검정으로 몸통을 바림한다.

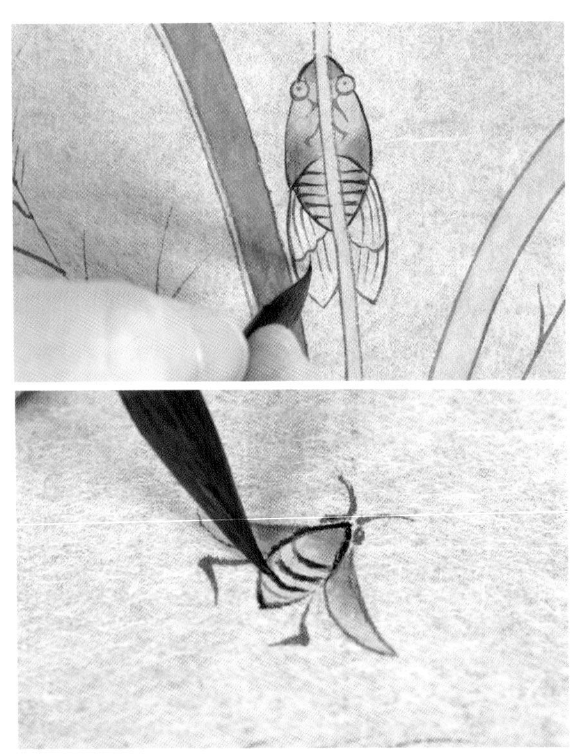

28 매미와 벌의 몸통과 날개 역시 민달팽이와 동일한 방법으로 선을 친다.

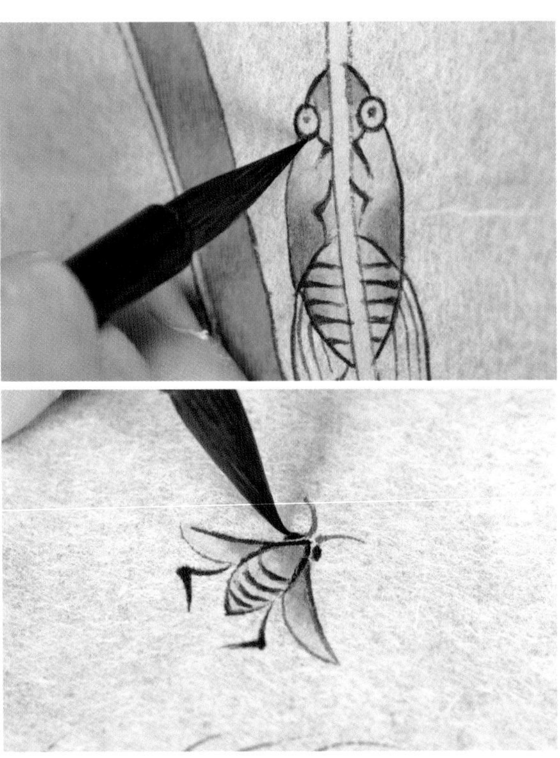

29 눈은 검정으로, 테두리는 몸통 색으로 그린다.

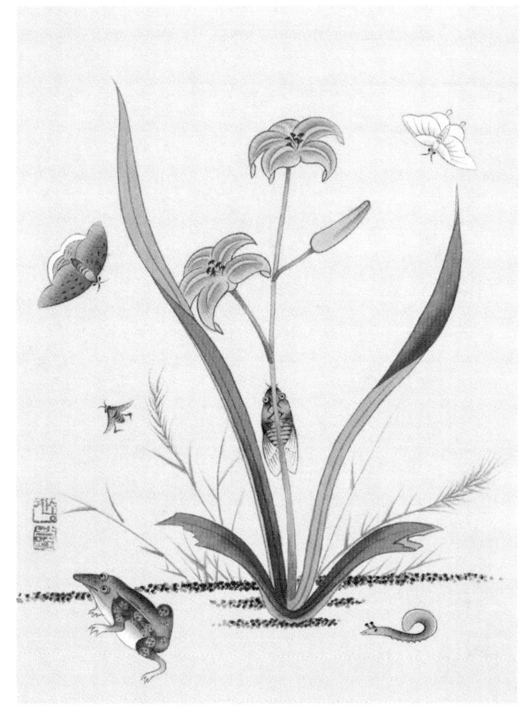

초충도

여뀌와 사마귀

2

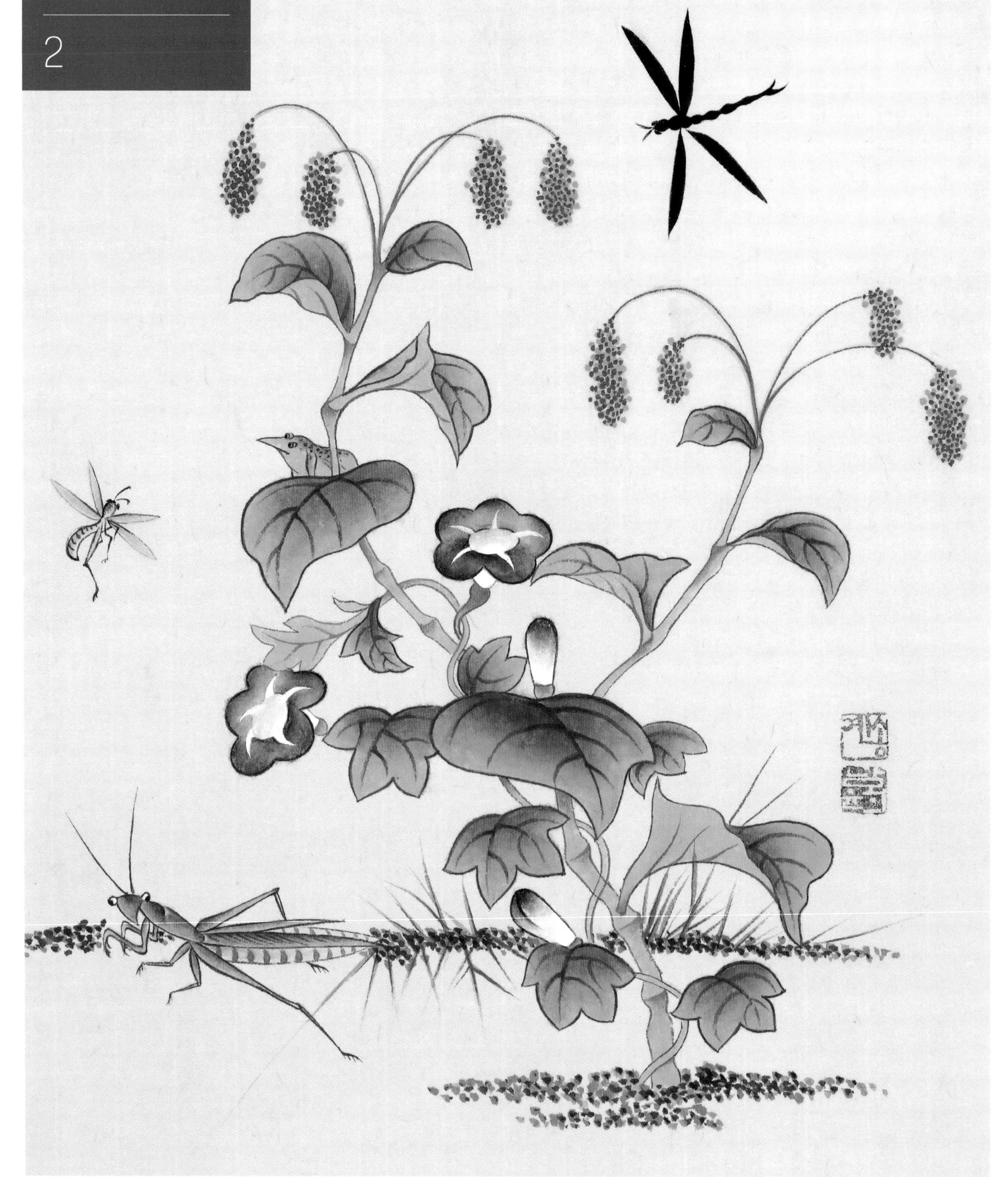

작품설명 & 포인트

오랫동안 '산차조기와 사마귀'로 불렸던 그림인데, 그림 속의 식물이 산차조기가 아니라 '여뀌'라는 주장이 설득력을 얻고 있어 여기서는 일단 '여뀌와 사마귀'로 부르기로 한다. 여뀌 줄기에 나팔꽃이 휘감아 올라간 모습을 그린 그림이다. 여뀌 주위로 벌과 잠자리들이 날아들고 바닥에는 사마귀가, 이파리 위에는 청개구리가 익살스러운 표정을 하고 앉아있다. 벌과 개구리는 대화를 하듯 마주보고 있고 잠자리와 사마귀가 꽃을 사이에 두고 대각선으로 대칭을 이루도록 배치한 구도가 재미있다. 사마귀를 사실적으로 섬세하게 묘사한데 비해 잠자리는 검은색으로 형체만 그린 것도 재치 넘치는 표현이다. 잠자리는 보통 생육이나 다남을 뜻하는 곤충으로 알려져 있다.

01 밑그림 위에 아교포수한 순지를 놓고 중먹 + 대자 봉채로 밑그림을 그린다.

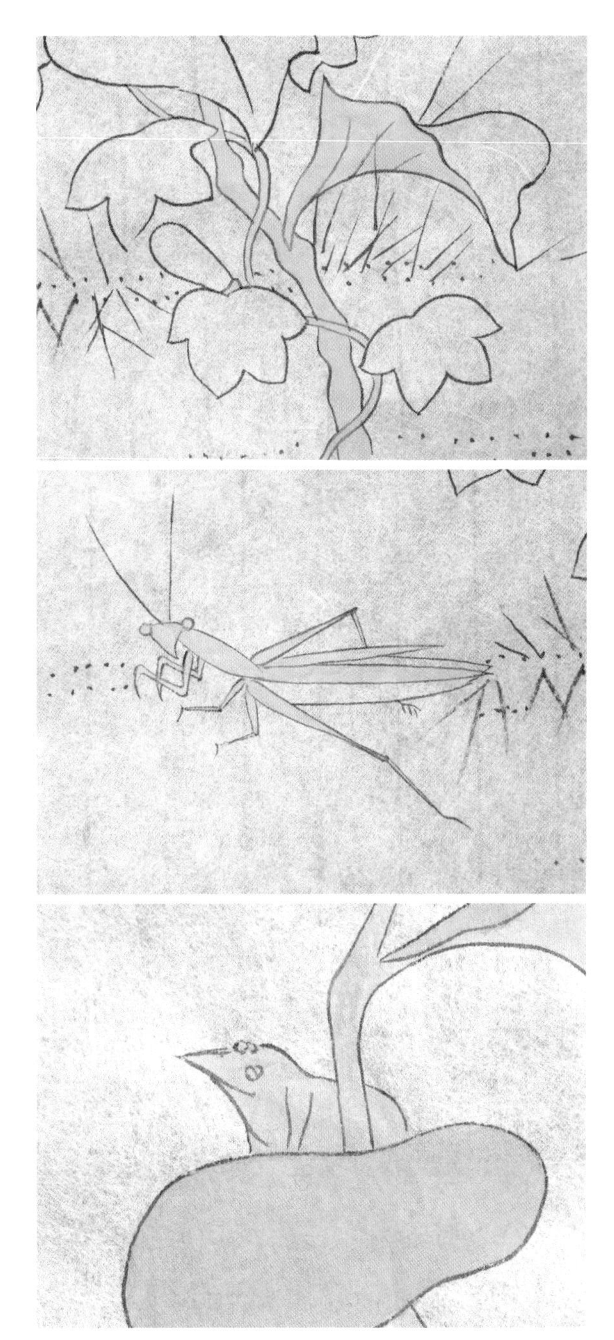

02 여뀌의 잎 뒷부분과 사마귀, 청개구리의 바탕은 녹청 + 호분 + 황토대자로 연하게 2회 채색한다.

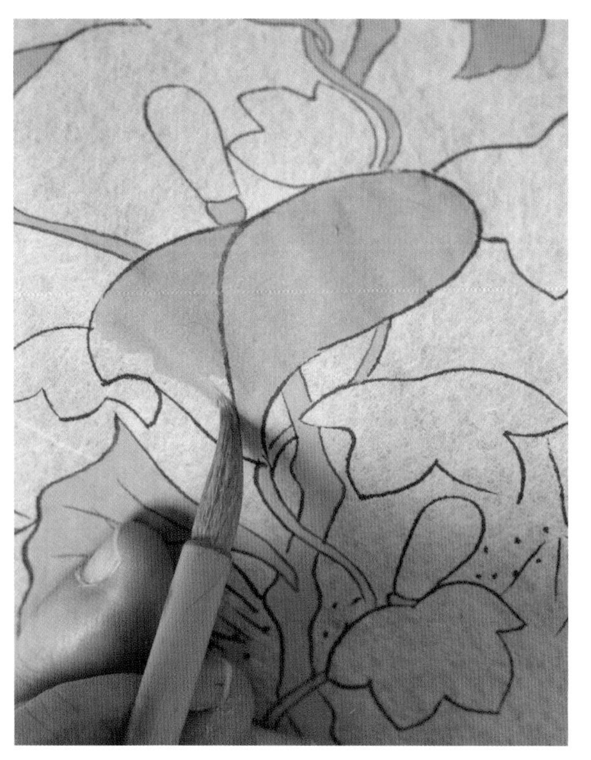

03 여뀌 잎의 앞부분 바탕은 녹청 + 대자 + 호분으로 2회 채색한다. 바탕색은 물기가 마르면 색감의 톤이 절반 정도로 약해진다.

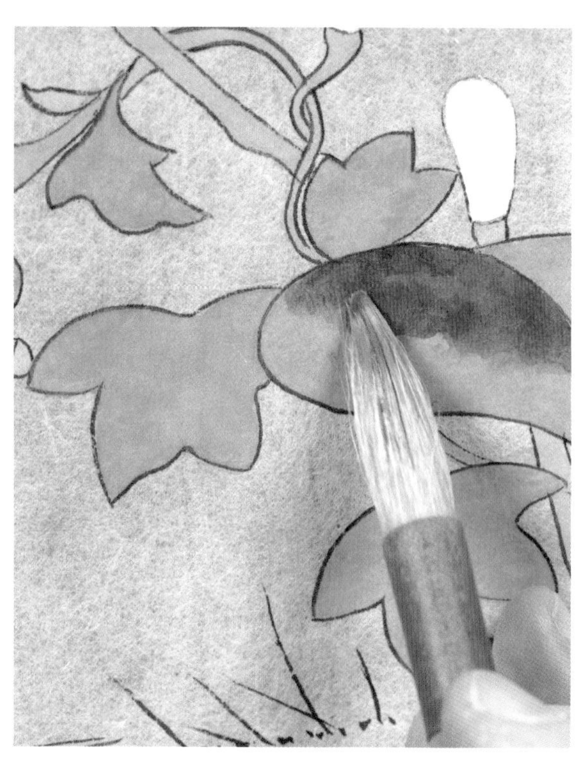

04 여뀌의 잎사귀 앞부분은 녹청 + 대자를 섞어 바림한다.

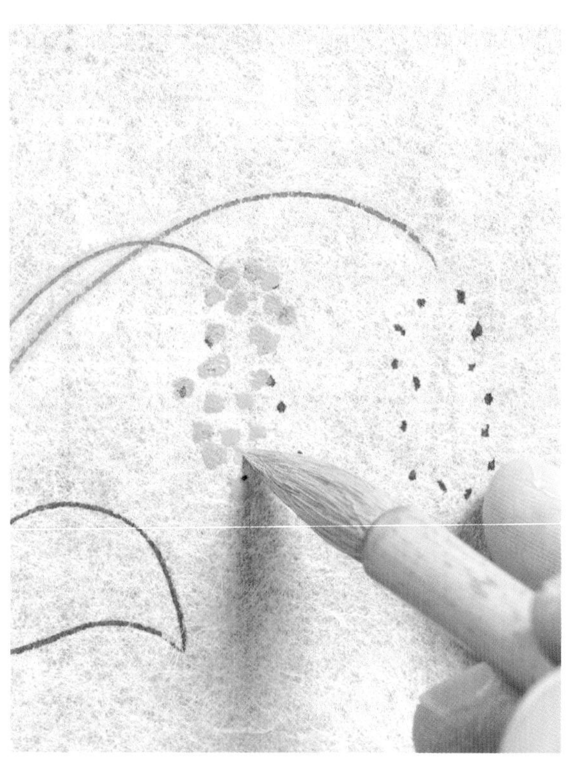

05 여뀌 꽃 바탕은 양홍에 호분을 섞어서 붓을 세워 연하게 점을 찍는다.

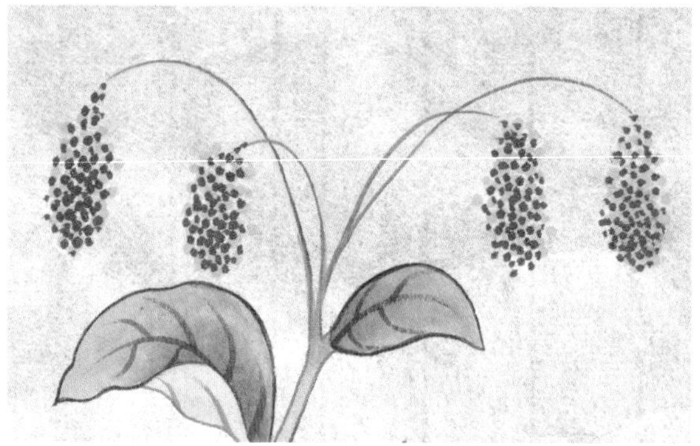

06 꽃의 아래쪽이 무거워 처진 느낌이 들도록 양홍에 연지를 섞어 진한 점을 많이 찍는다

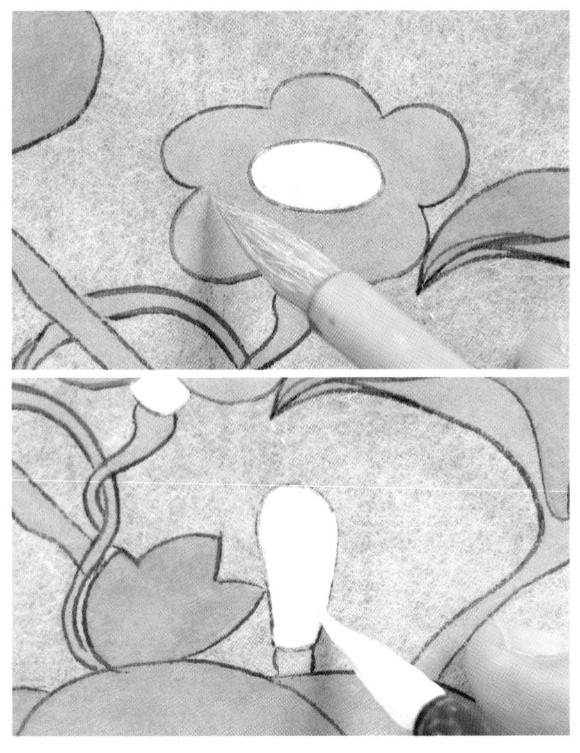

07 나팔꽃 바탕은 군청과 호분을 섞어 2회 채색한다. 나팔꽃 봉우리, 꽃받침, 꽃 안쪽을 호분으로 채색한다.

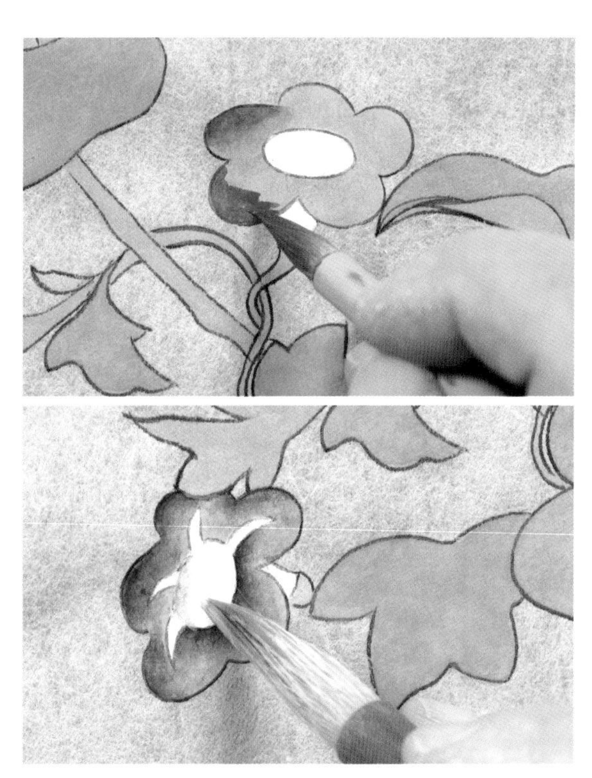

08 군청 + 대자를 조금 넣어 나팔꽃을 바림하고 꽃 안쪽도 약하게 바림한다.

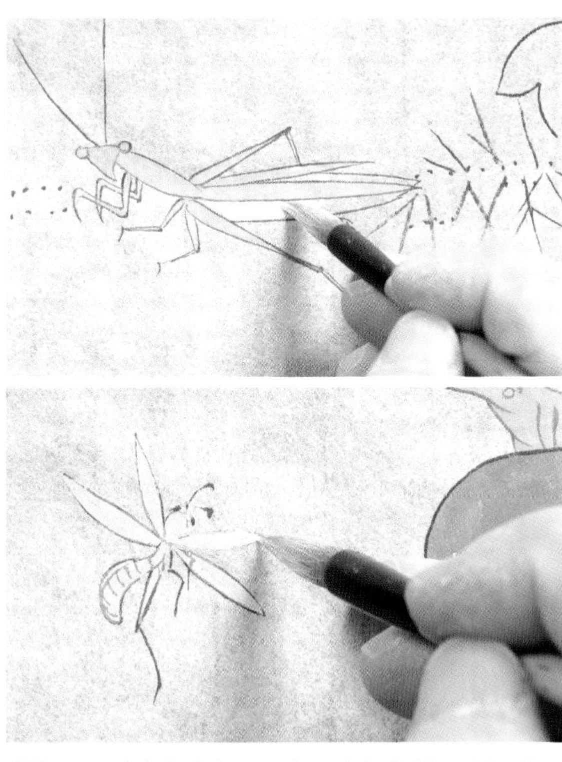

09 사마귀 배와 눈 그리고 벌의 바탕은 호분 + 황토를 섞어 채색한다.

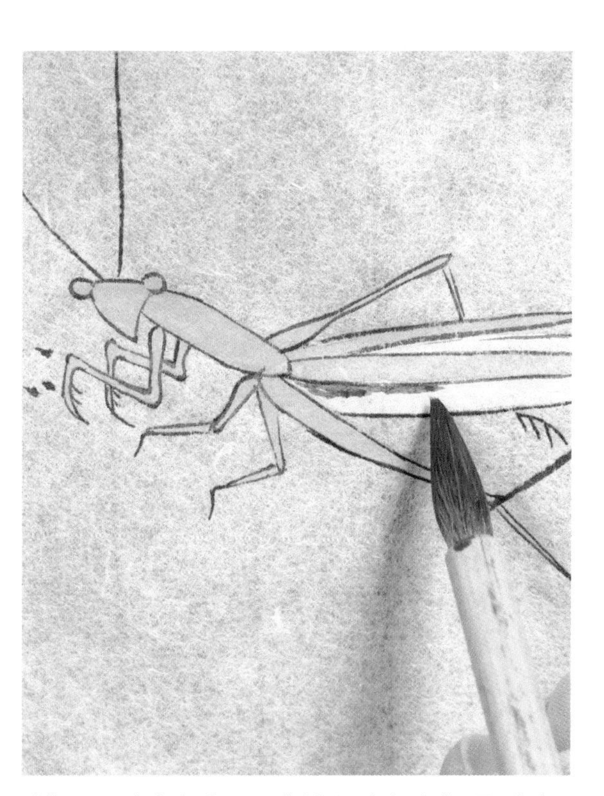

10 사마귀 배 부분에 붉은 끼가 비치도록 대자 + 연지로 흐리게 바림한다.

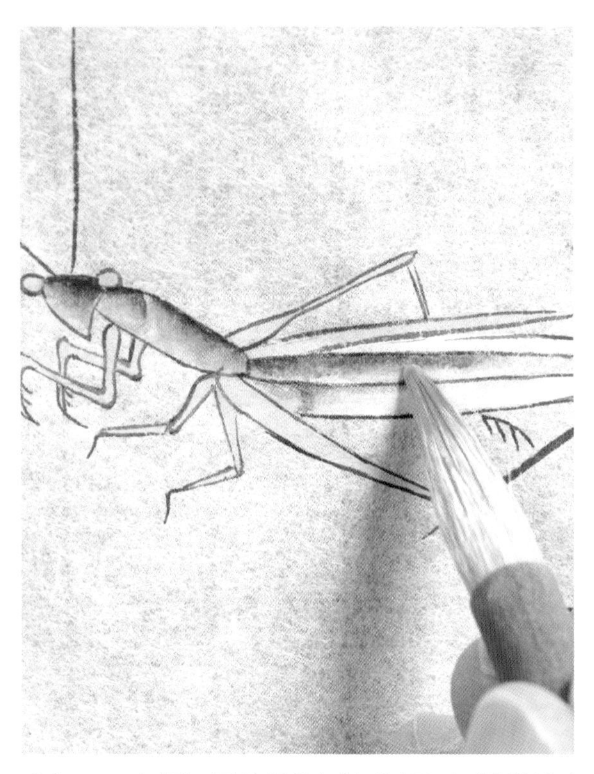

11 사마귀 머리와 등은 녹청 대자로 마디를 끊어서 바림한다.

12 벌은 대자 황토 + 백록(녹청 + 호분)을 섞어 중심에서 끝으로 바림한다.

13 여뀌 잎 뒷면은 녹청에 대자를 섞어 마디에서 잎의 끝 방향으로 바림한다. 줄기의 경우 마디 부분을 진하게 넣어 반대로 바림한다.

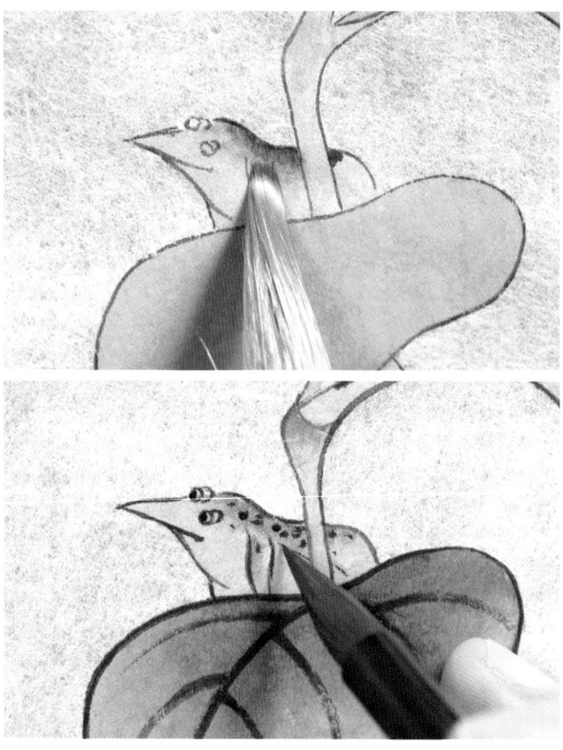

14 개구리는 등 쪽을 녹청 대자로 약하게 바림하고 등의 무늬를 점으로 진하게 찍어 자연스럽게 표현해준다.

15 나팔꽃 받침은 잎 뒷면과 동일한 색(녹청 대자)으로 바림한다.

나팔꽃 뒷면의 바림은 생략해도 좋다.

16 벌은 대자 검정으로 날개 위쪽과 몸통의 선을 표현해 준다. 머리와 몸에 점을 몇 개 찍어주고 눈과 더듬이는 검정으로 표현한다.

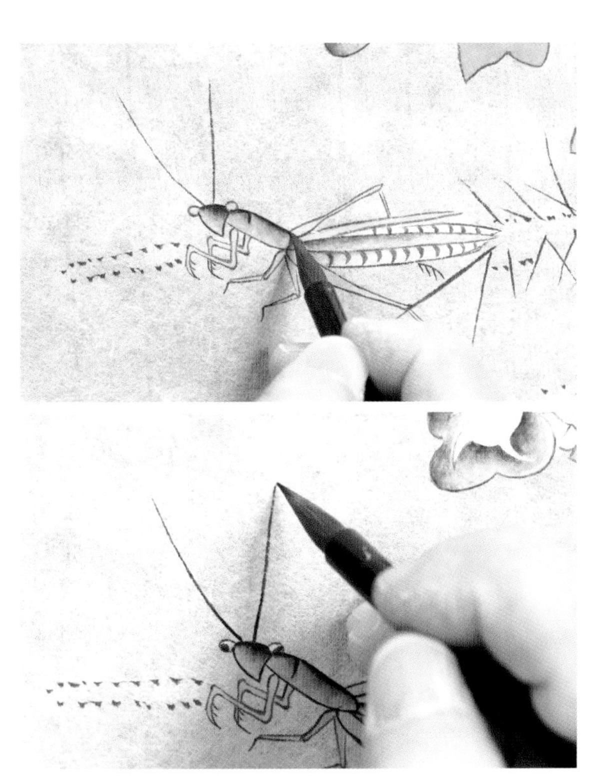

17 사마귀의 몸은 녹청 대자로 선을 치고 눈과 더듬이는 검정으로 그린다.

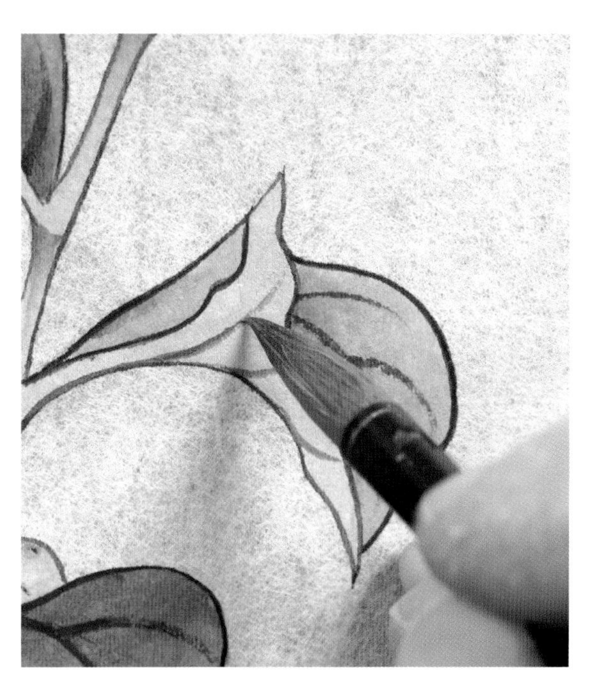

18 여뀌 잎 뒷면의 선은 백록에 녹청 조금에 대자를 섞어 그린다.

19 여뀌 잎의 앞면(초록) 선을 표현할 때는 녹청 + 대자를 섞어 중심선을 약간 진하게 그린다. 모든 잎선은 끝부분으로 갈수록 가늘게 그린다.

20 땅 위에 풀들 중 일부는 녹청 + 황토를 섞어 강한 느낌으로 표현해준다.

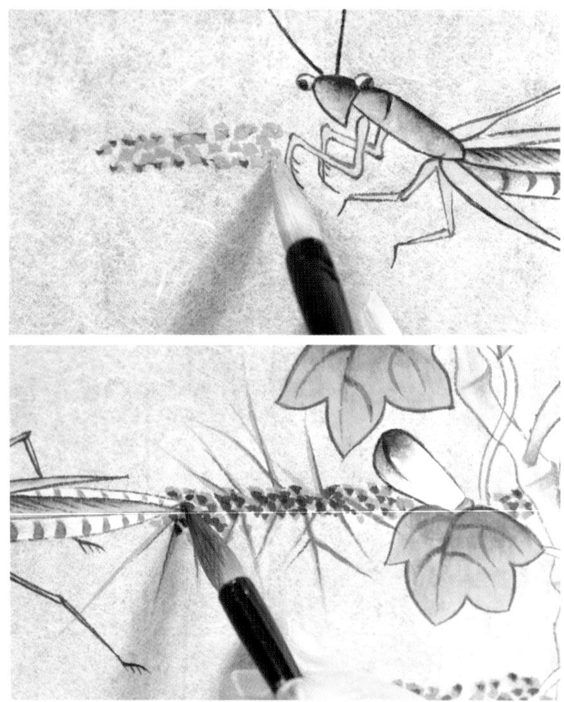

21 사마귀와 나팔꽃 주변의 흙은 황토 대자 호분을 섞어 흐린 점을 찍고 대자에 검정을 더해 진한 점을 찍는다. 강중약의 점을 섞어가며 찍어 흙의 밀도감을 표현한다.

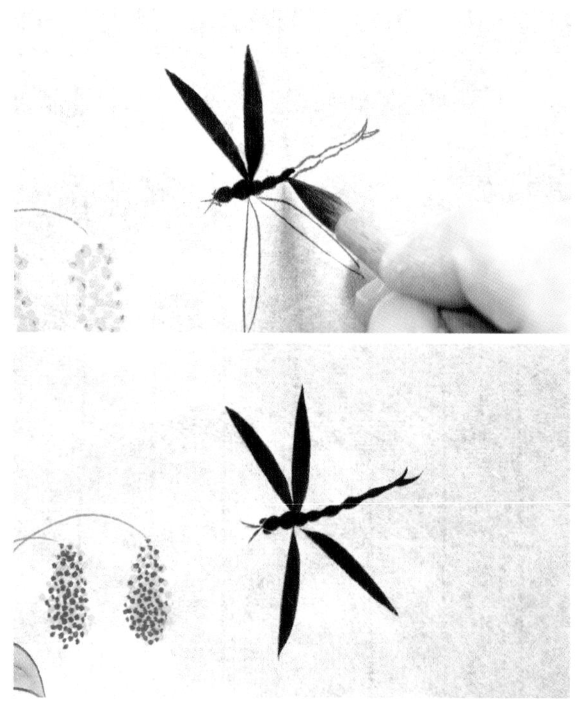

22 잠자리는 검정색으로 깔끔하게 2회 채색한다.

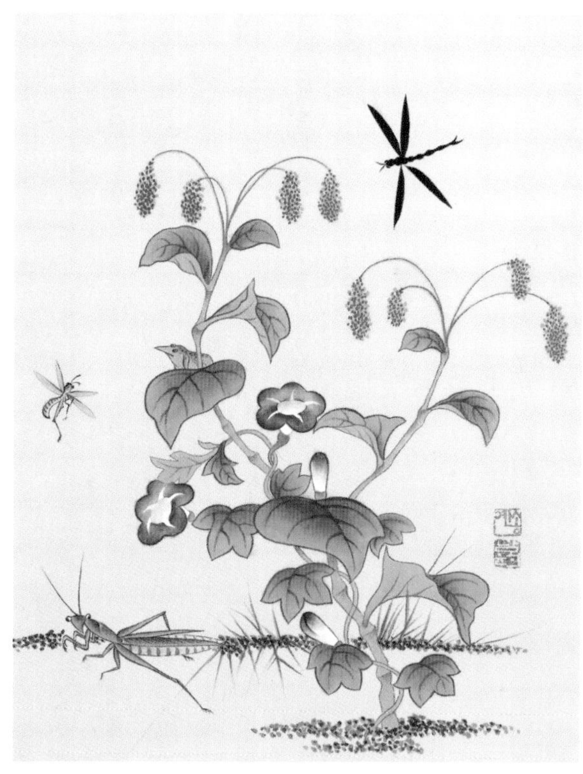

초충도

오이와 개미취

3

작품설명 & 포인트

이 역시 신사임당의 초충도 8폭 중 한 폭으로 탐스럽게 매달린 오이와 소박한 개미취꽃, 그리고 무당벌레와 나비, 여치가 어우러진 풍경 속에 계절의 흐름을 담아냈다. 꽃과 나비는 부부간의 정을, 오이는 다산과 자손을 뜻하고 거기에 모든 것이 오래오래 이어지라는 의미의 넝쿨까지 그려 넣었으니, 전체적으로 행복한 삶과 장수를 기원하는 뜻이 담긴 길상화라고 하겠다.

오이와 개미취는 화면 왼쪽에서 피어올라 오른쪽으로 뻗어가고 있는데, 특히 강렬한 녹색으로 화면을 압도하고 있는 오이 넝쿨은 대각선 방향으로 힘차게 뻗어가고 있다. 중심 소재인 오이의 표현이 하이라이트이다.

01 나비와 개미취 꽃잎을 호분으로 2회 칠한다.

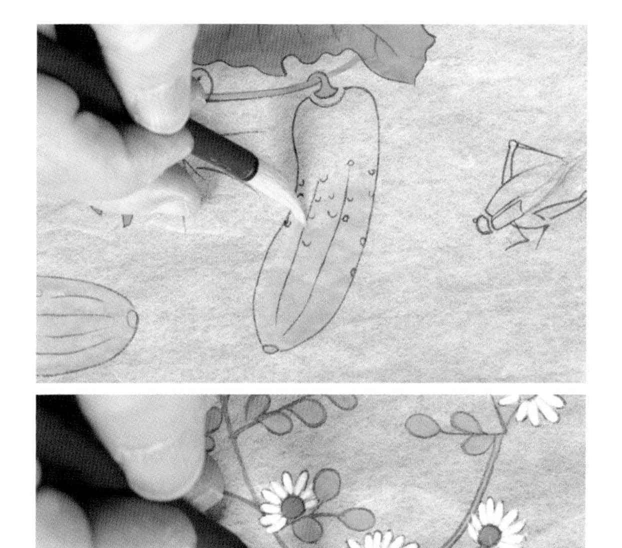

02 오이와 개미취 잎, 꽃받침은 백록(녹청 + 호분)에 황토를 조금 섞어 1회 바탕 채색한다.

03 오이 잎과 줄기는 백록 황토 대자를 섞어 1회 바탕 채색한다.

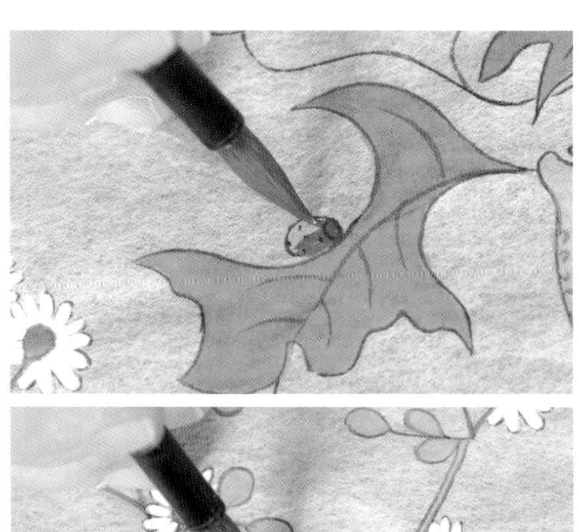

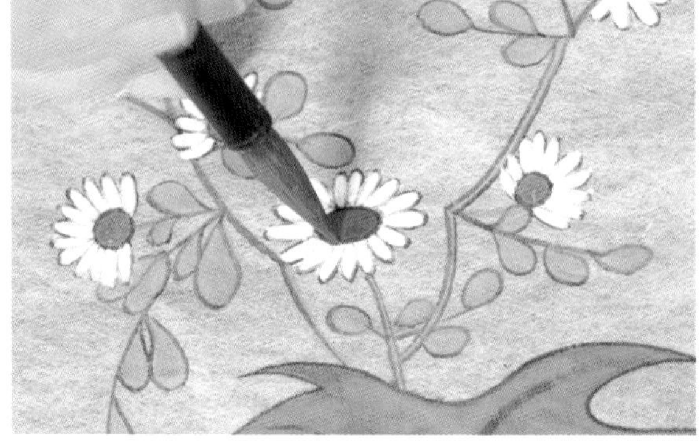

04 무당벌레, 개미취 꽃술 부분은 주홍에 황토를 섞어 2회 채색한다.

05 여치는 황토 대자 호분을 섞어 몸통, 다리 전부 1회 바탕 채색한다.

06 오이꽃은 황 + 호분을 섞어 1회 채색

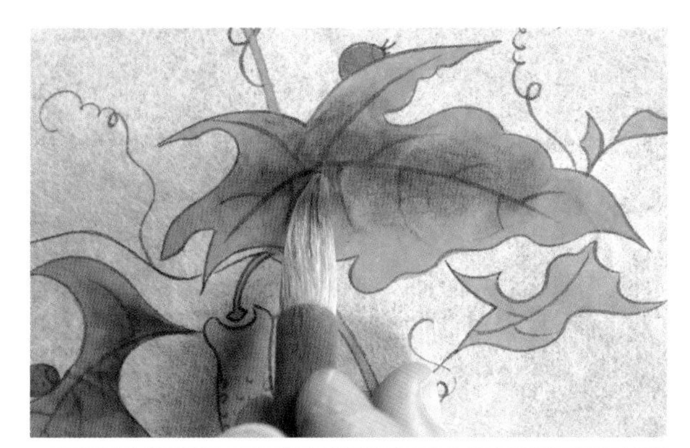

07 오이 잎은 녹청 대자로 바림한다. 큰 잎은 잎의 중심에서 주변으로 바림하고 작은 잎은 줄기에서 잎의 끝 방향으로 바림한다.

녹청과 대자를 섞을 때는 녹청을 조금 더해서 잎과는 약간 다른 바림 색감을 표현한다.

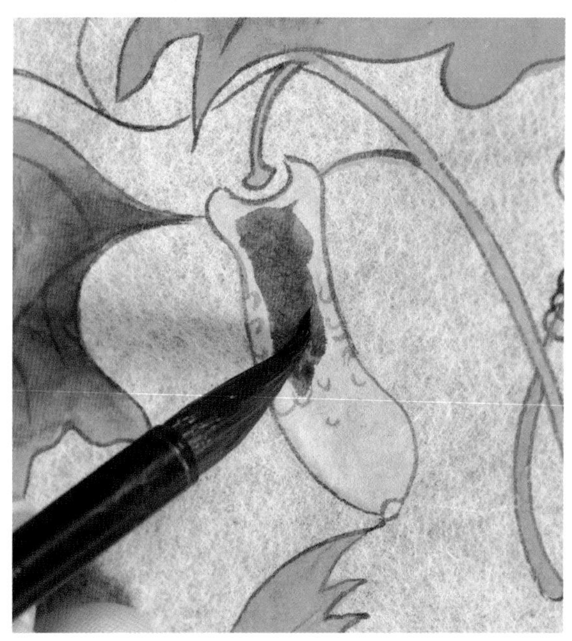

08 오이는 녹청에 대자를 조금 섞어 꼭지를 기준으로 양쪽과 아래 방향으로 바림한다.

09 여치의 머리, 몸통은 대자에 황토 + 검정으로 바림한다.

10 여치의 다리는 몸통에 가까울수록 짙게, 마디 쪽은 약하게 바림한다.

11 개미취 잎은 중심에서 바깥 혹은 왼쪽에서 오른쪽으로 자유롭게 바림한다. 아주 작은 잎들은 바림을 생략해 강약의 느낌을 줄 수 있다.

12 개미취 꽃잎은 작은 잎일 경우 하나씩 바림하지 않고 꽃술 주변에 원을 그리듯 바림해도 무방하다.

13 나비 날개는 황토에 호분을 섞어 연하게 바림한다.

14 날개를 활짝 펼친 나비의 경우 몸통 쪽에 검정을 조금 칠한 뒤 바림하고, 나비 날개 끝에 점은 검정색이 번져나가듯 바깥으로 동그랗게 바림한다.

15 머리와 몸통은 검정으로 약하게 중심에서 좌우 바깥으로 바림한다.

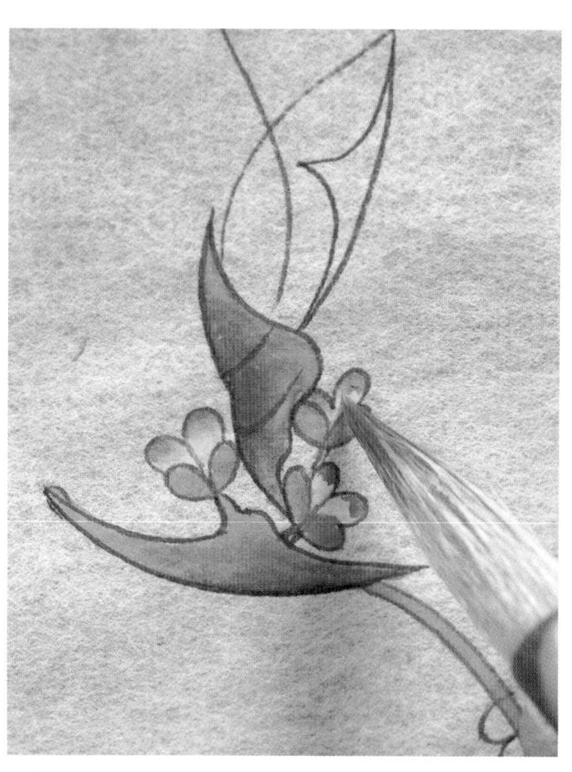

16 오이꽃은 꽃잎 끝에서 안쪽으로 바림한다.

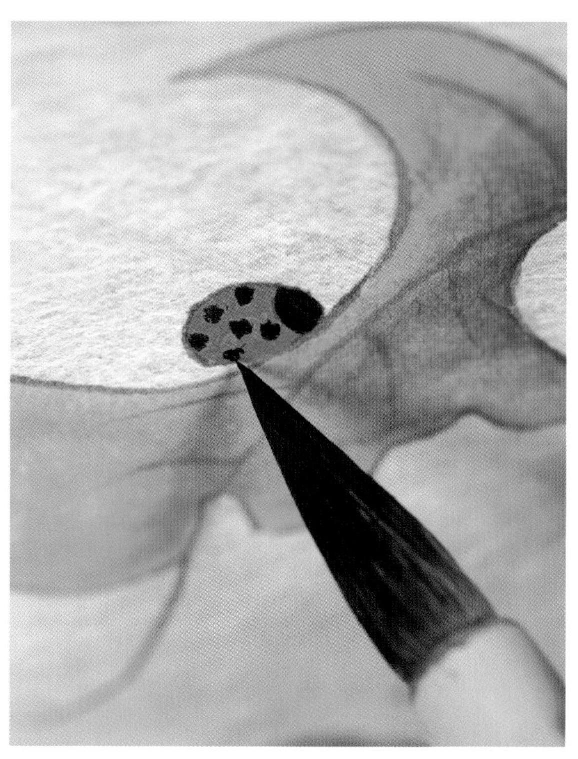

17 무당벌레의 머리는 검정으로 채색하고 몸통의 점도 검정으로 자유롭게 찍는다.

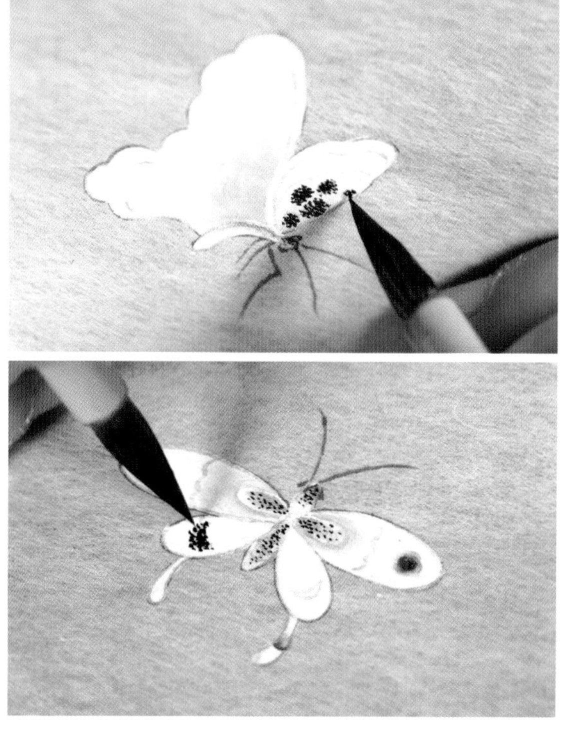

18 황색으로 바림한 나비 날개 위에 검정색 점을 찍어 무늬를 표현해 준다.

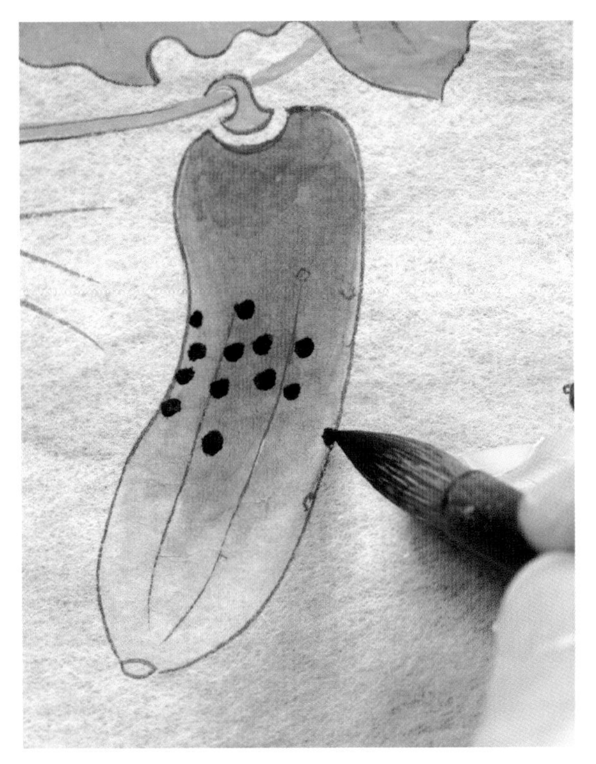

19 오이는 녹청 대자를 섞어 짙은 가시점을 표현한다.

20 오이 줄기에 달린 잎은 녹청 대자를 짙게 섞어 잎맥을 그린다. 중심선은 힘있게 치고 테두리와 줄기 선은 가늘게 마무리 한다.

TIP

선을 칠 때 작은 잎들의 선은 생략하는 것이 좋다.

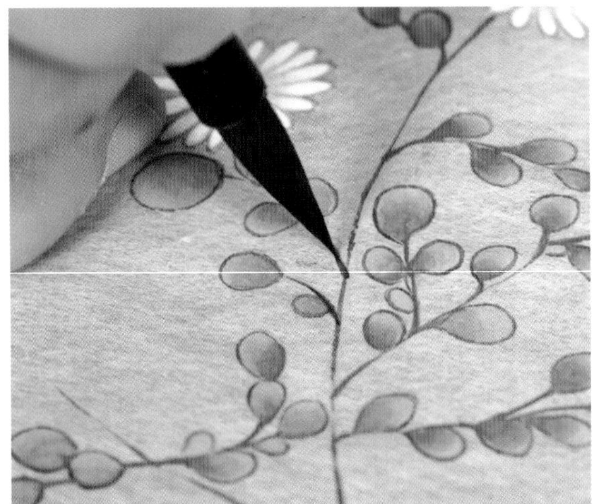

21 개미취는 잎이 작으므로 중심선만 치는 것이 복잡해지지 않는다. 잎의 작은 선들은 줄기에 붙은 마디를 강조해 주면 좋다.

22 개미취 꽃술은 주홍으로 동그란 점을 밖에서 안으로 찍어준다.

23 개미취 꽃잎 선은 황토에 대자를 조금 섞어 친다.

24 오른쪽 나비의 날개 꽁지를 검정과 주홍으로 각각 바림한다.

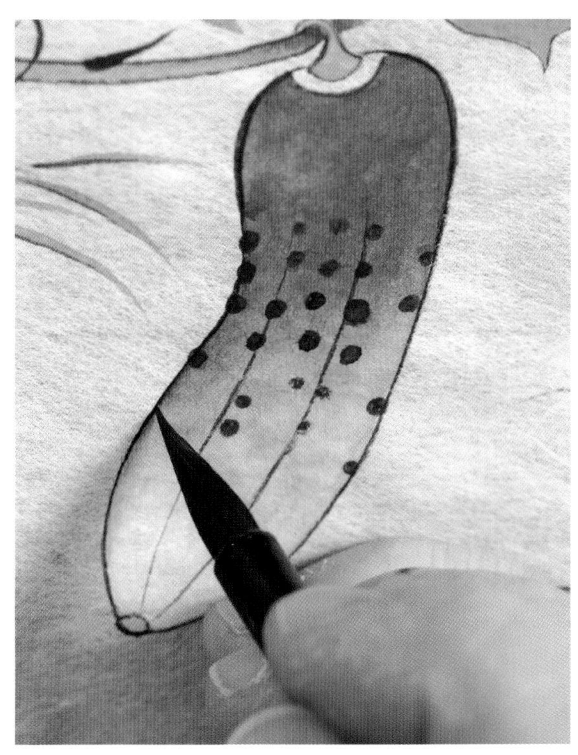

25 오이의 선은 점의 색과 동일하다. 그늘진 쪽은 강하게 치고 밝은 쪽은 가늘게 친다.

26 풀은 오이 잎의 바탕색으로 치고 몇 개만 진하게 하여 강조한다.

27 나비의 선은 두 마리 모두 가장 위에 있는 날개만 강, 중, 약 순서로 치고 나머지는 가늘게 쳐준다.

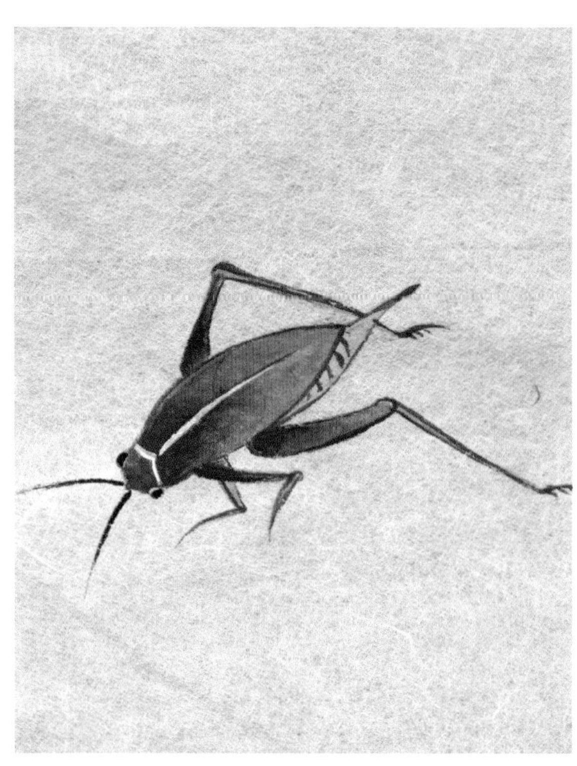

28 여치의 선은 바림했던 색(대자 + 황토 조금 + 검정)으로 쳐준다.

초충도

괴석과 꽃

4

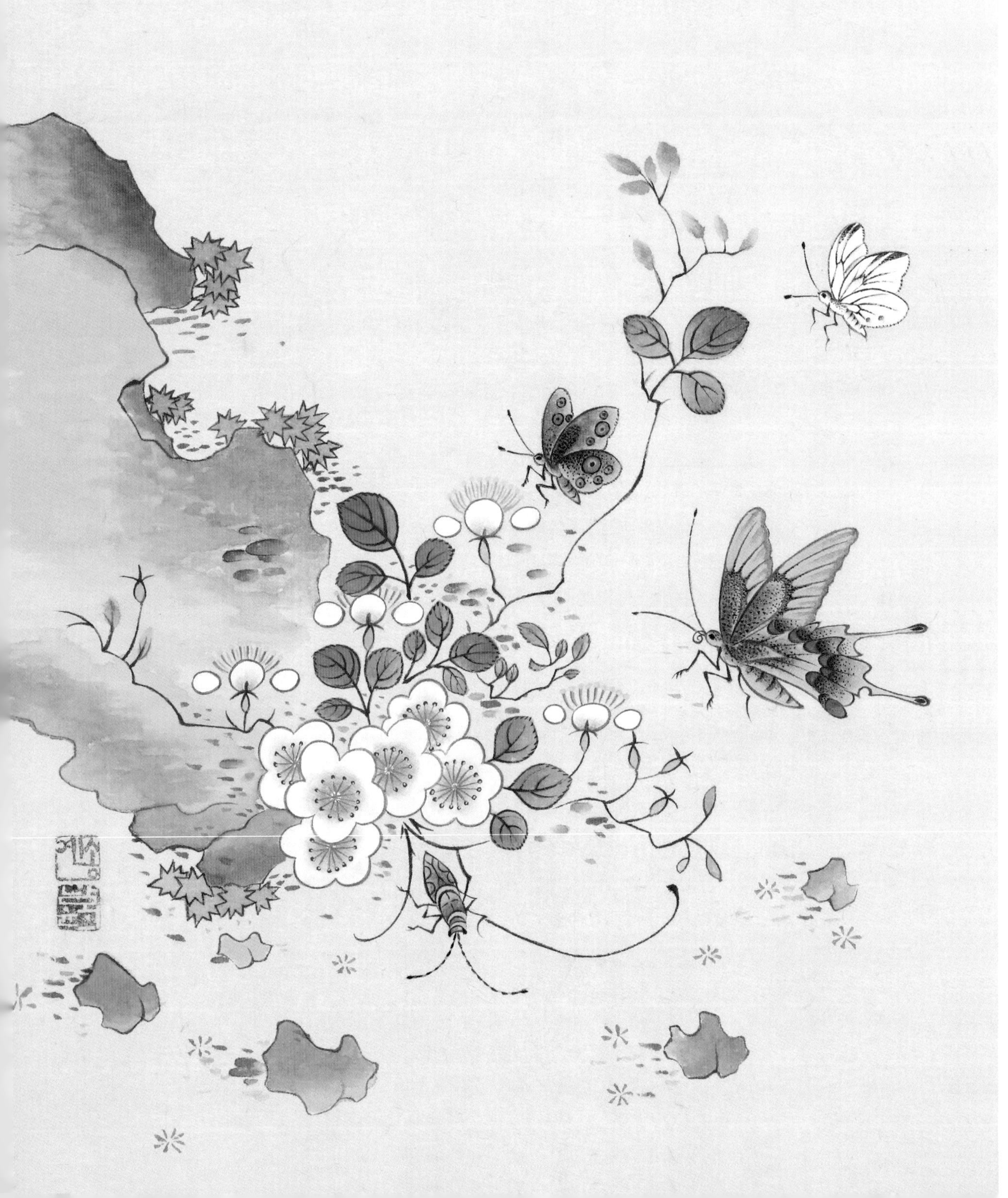

작품설명 & 포인트

작자가 알려지지 않은 19세기 경의 작품으로 알려진 이 초충도는 많은 민화작가들이 그리고 싶어하는 사랑스러운 그림이다. 사임당의 정제되고 품격 있는 분위기와는 달리 쾌활하면서도 생동감 넘치는 분위기가 한결 모던한 느낌을 풍겨내고 있다. 메인 소재인 꽃이 대각선 방향으로 뻗어나간 편파구도이지만, 왼쪽의 괴석이 무게감을 주어 안정감을 주고 있다. 이 작품을 작가의 의도를 살려 자연스럽게 모사하려면 진하지 않게 좀 더 연하게 채색해야 자연스러운 그림이 될수있다.

01 하얀 꽃의 바탕을 밑그림 선까지 덮도록 호분으로 2회 채색한다. 잎은 백록(녹청 + 호분)에 황토를 섞어 1회 채색한다.

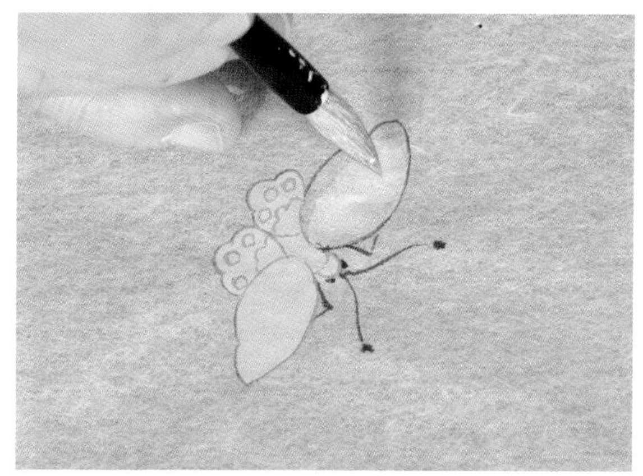

02 나비 날개와 몸, 하늘소의 바탕은 황토 조금에 호분을 섞어 1회 채색한다.

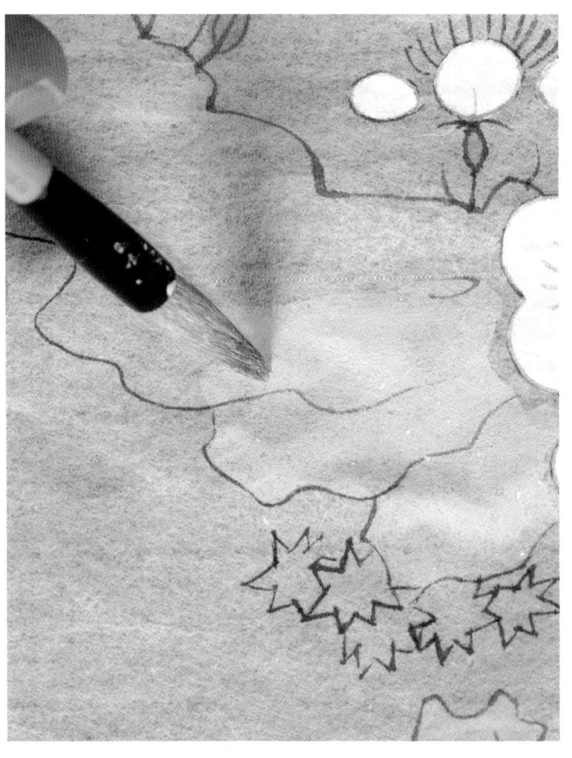

03 바위는 황토 조금에 호분을 섞어 1회만 채색한다.

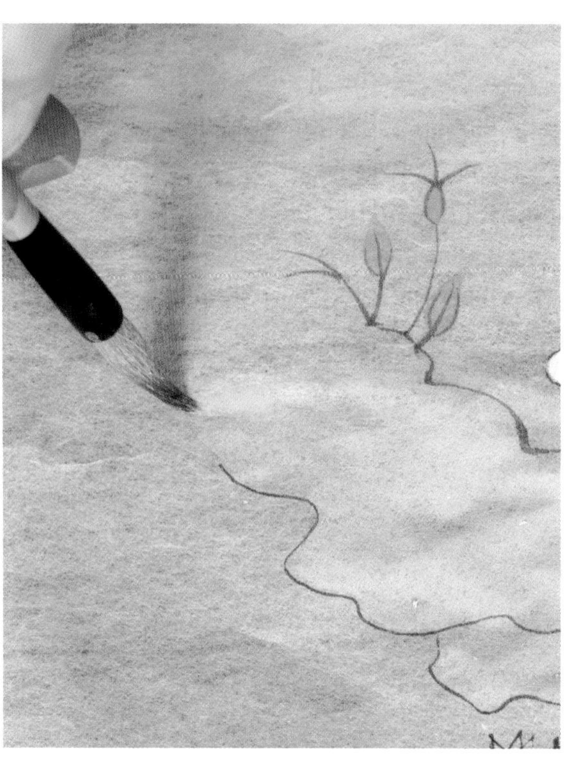

04 바위 끝은 채색한 붓 끝에 물을 더해 바림하듯 연하게 채색한다.

05 바위 주변 풀은 녹청에 황토를 더해 연하게 전체 채색 후 일부만 한 번 더 채색해준다.

백록(녹청 + 호분)은 먹으로 하는 것보다 밝게 톤을 내릴 수 있다.

06 바위는 대자 황토 그리고 백록으로 채색하되 강중약으로 바림한다.

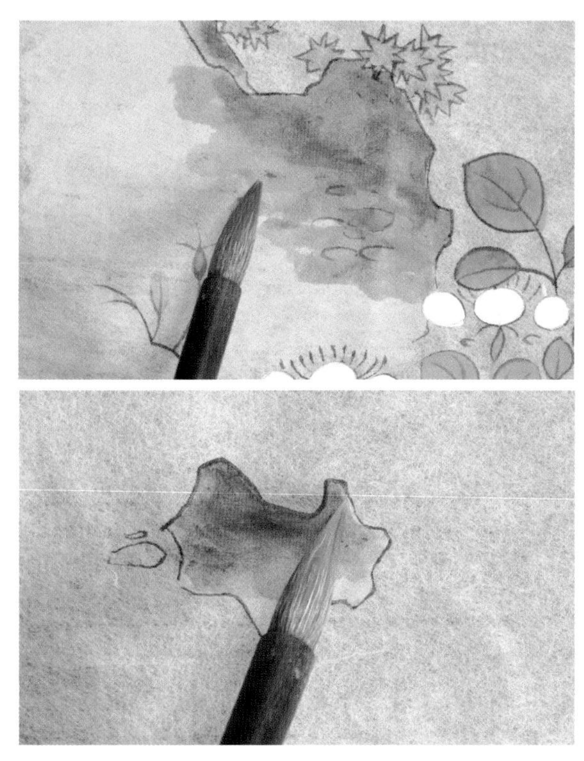

07 초록 바위는 녹청에 대자를 묽게 섞어 바림한다. 작은 바위들도 같은 방법으로 바림한다.

08 초록 잎은 약엽에 대자를 섞어 연두색 바림 한다.

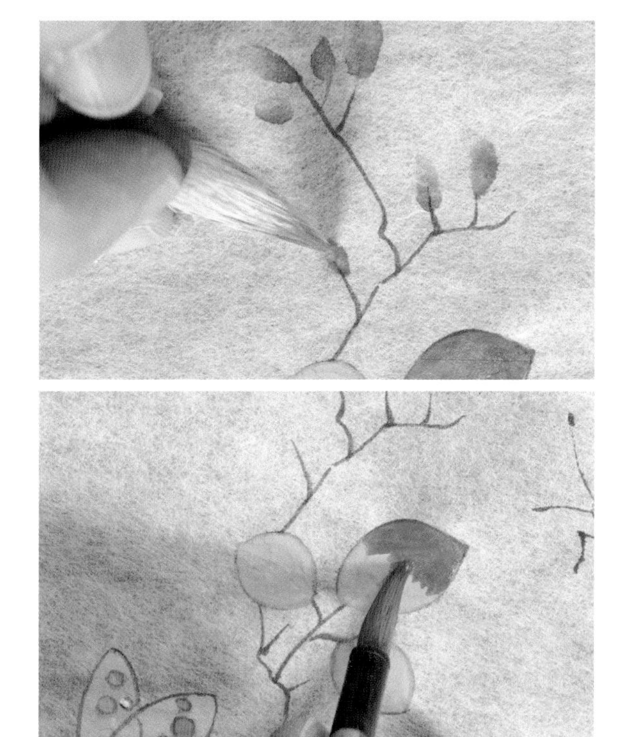

09 붉은 잎은 황토에 대자를 섞어 붉은 바림을 한다. 작은 잎들도 같은 붉은색으로 묽게 바림하듯 1회 채색한다.

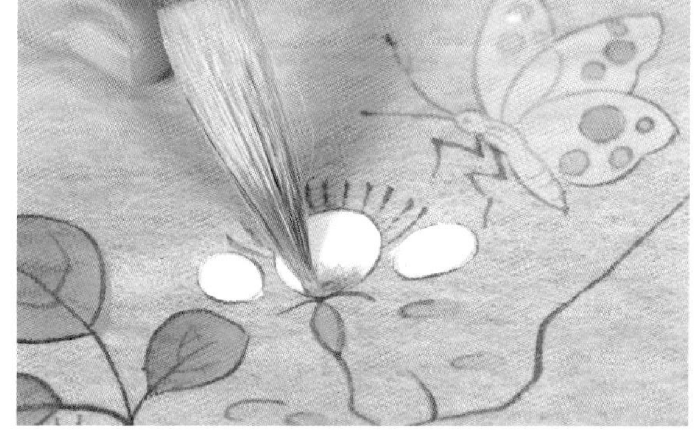

10 하얀 꽃의 중심은 주홍에 대자를 섞어 바림하고, 측면이 보이는 꽃은 아래에서 위로 살짝 바림해 준다.

11　하늘소는 황토 대자와 백록을 섞어 마디마디 효과를 넣어준다.

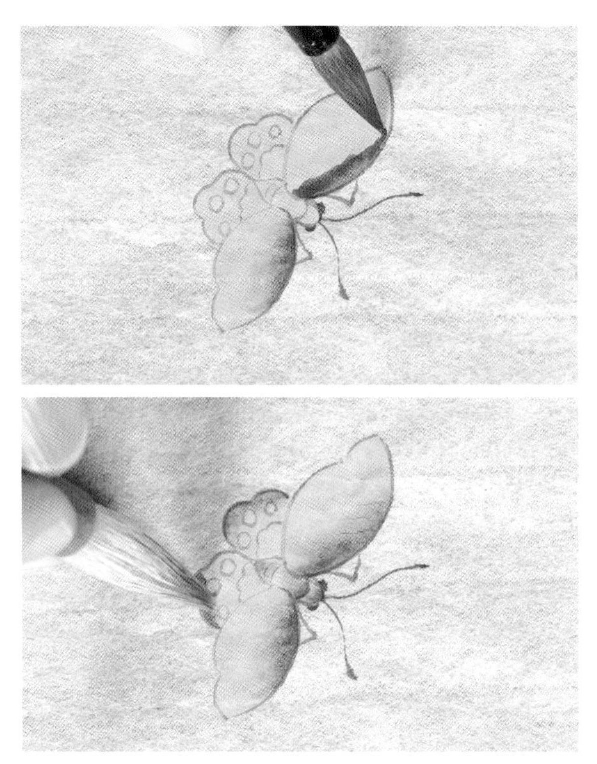

12　나비 날개와 몸통도 하늘소와 동일한 색으로 효과를 넣어 연하게 바림한다. 날개는 바깥쪽을 진하게, 안쪽은 흐리게 바림한다.

13　날개와 머리, 몸통은 황토 대자로 연하게 바림한 뒤 무늬를 넣고, 날개의 붉은 무늬는 주홍 + 황토로 채색한다.

14 연한 바림 위에 검정 대자, 황토색 점을 찍는다.

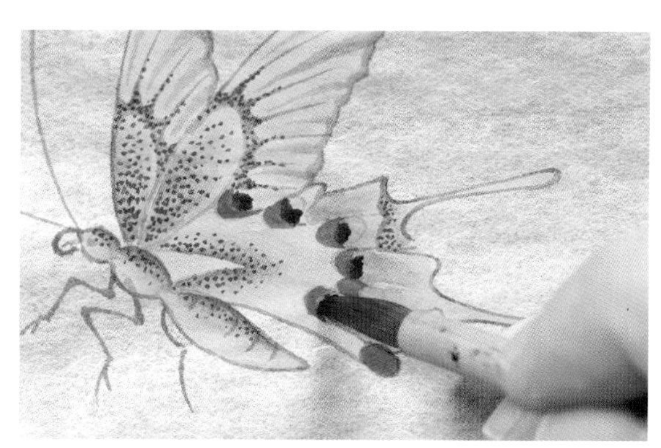

15 군청 연지로 붉은 보라색을 만들어 바림해주고 위에 점을 찍어준다.

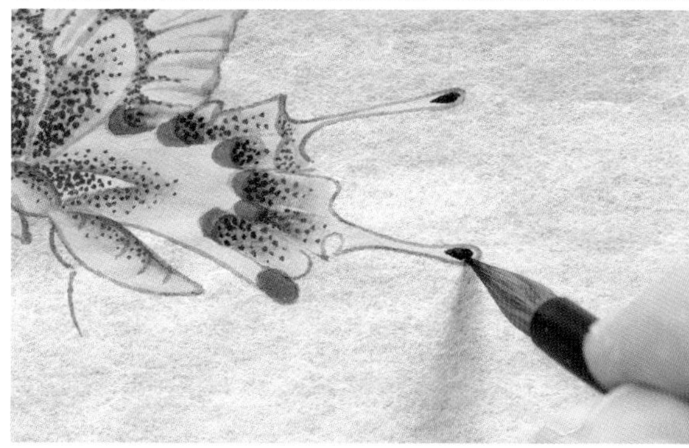

16 날개 안쪽의 황토색 점 위에 녹청 황토로 초록점을 추가로 찍는다. 날개 끝은 검정으로 물방울 모양 포인트를 준다.

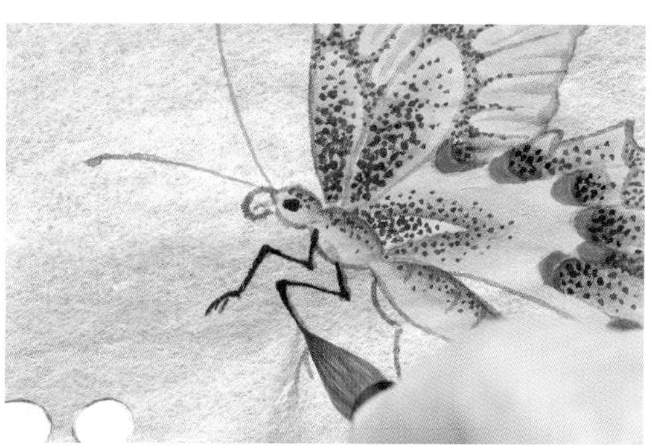

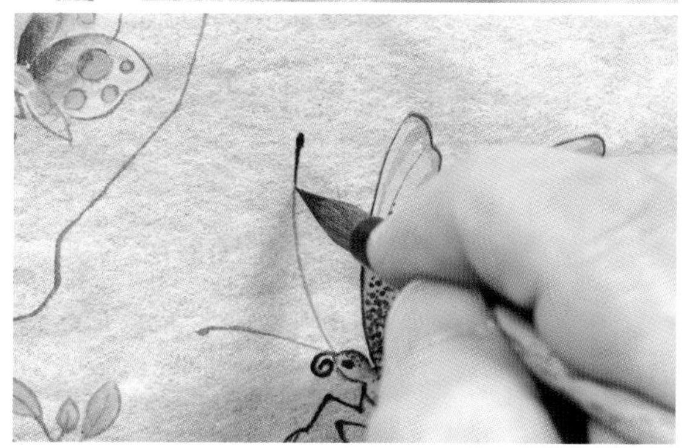

17 눈과 다리, 더듬이는 검정으로 그려준다. 다리는 관절 마디 부분을 강조한다.

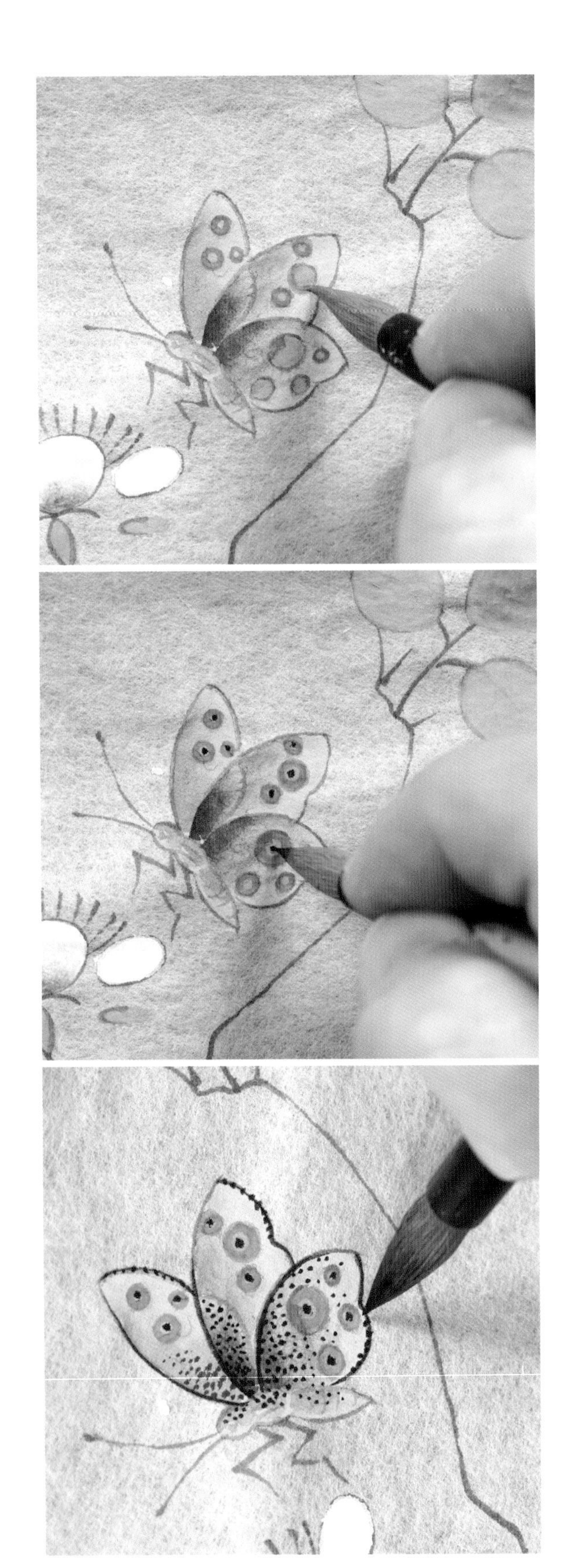

18 점박이 나비는 초록잎과 동일한 색(약엽 + 대자)으로 동그란 선을 그리고 중심에 검정 점을 찍어준다. 날개 안쪽은 물론 끝선에도 점을 찍어 자연스러움을 더해준다.

19 나비 점은 1차 효과색으로 강약을 주어가며 길쭉하게 그려준다. 밑 날개 끝에 주홍색 동그라미를 그리고 가운데 초록점을 찍는다.

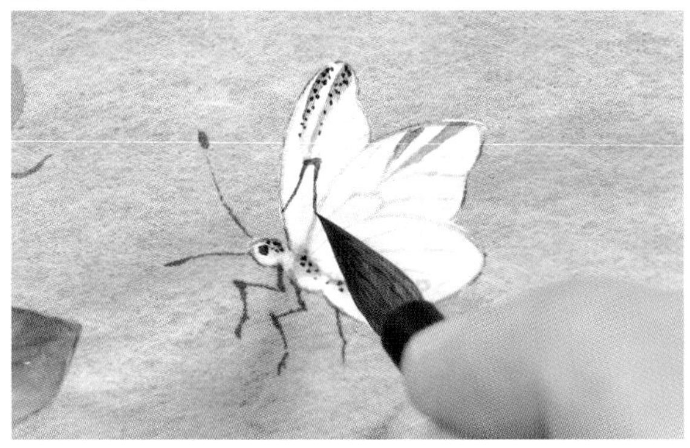

20 흰나비는 검정에 호분을 섞어 회색으로 바림하고, 회색으로 약간의 점과 선도 그려준다.

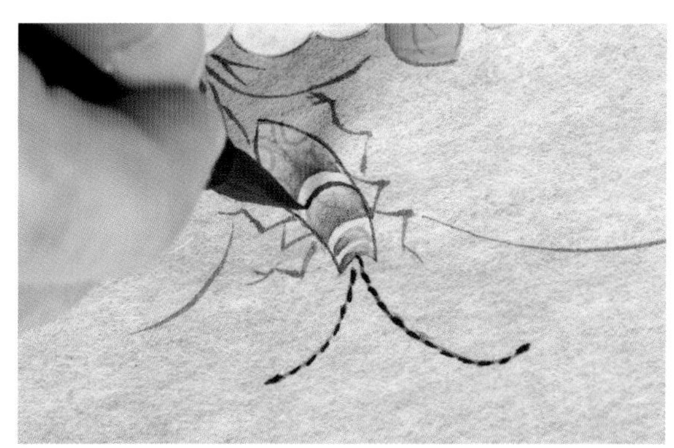

21 하늘소는 효과색으로 몸과 다리의 선을 치고 여기에 검정을 더해 선을 짧게 끊어가며 더듬이를 그려준다.

22 흰꽃의 선과 꽃술은 주홍 대자를 섞어 그린다.

23 꽃술의 점은 대자에 연지를 섞어 찍고 그 안에 황으로 다시 한 번 점을 찍어준다.

24 초록잎의 선은 녹청에 대자를 섞어 치고 끝자락에는 약간 길게 점을 찍어 잎의 톱니를 표현해준다.

25 가느다란 나무의 선은 마디를 강조해서 그려준다. 특히 가지와 가지가 맞닿은 부분을 강조해서 그려주면 자연스러운 느낌을 살릴 수 있다.

26 바위 선은 녹청, 군청을 섞어 그리고 바위 주변 풀의 선도 같은 색으로 표현한다.

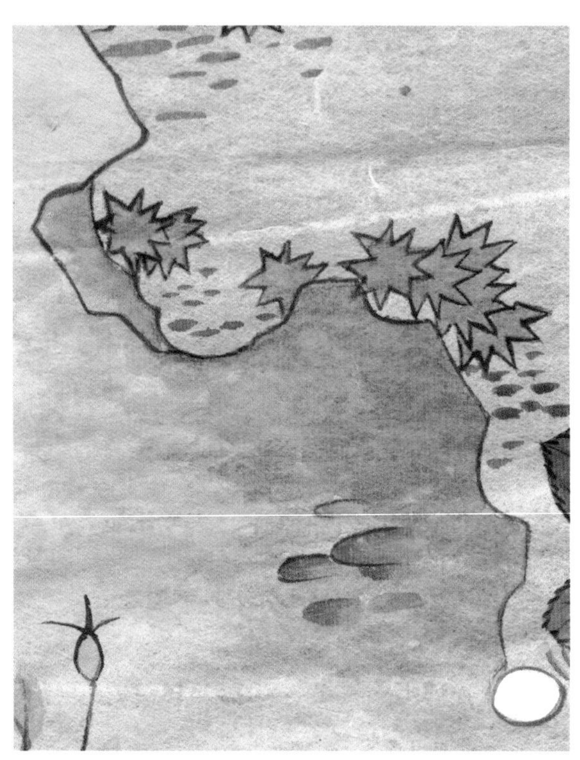

27 갈색 바위 그리고 초록잎과 동일한 색으로 바위 표면과 주변 얼룩을 자연스럽게 찍어준다.

초충도 채색 일람

원추리와 개구리

초록 잎 바탕 ①

초록 잎 바탕 ②

초록 잎 효과

초록 잎 선

붉은 나비 효과

원추리 꽃 바탕

효과

곤충 바탕

곤충 효과

원추리꽃 선

곤충(벌, 매미, 민달팽이) 선

붉은 나비 점, 꽃술

초록잎 바탕 ① 녹청 + 호분 | 효과 : 녹청 + 대자 | 선 : 녹청 + 대자

초록잎 바탕 ② 호분 + 녹청 | 선 : 황토 + 대자

원추리 꽃(=개구리 눈) 바탕 호분 + 황토 + 황 | 효과 : 황토 + 대자 | 선 : 주홍 + 대자 | 꽃술 : 연지 + 대자

벌, 매미, 민달팽이 바탕 황토+대자+녹청약+호분

②

여뀌와 사마귀

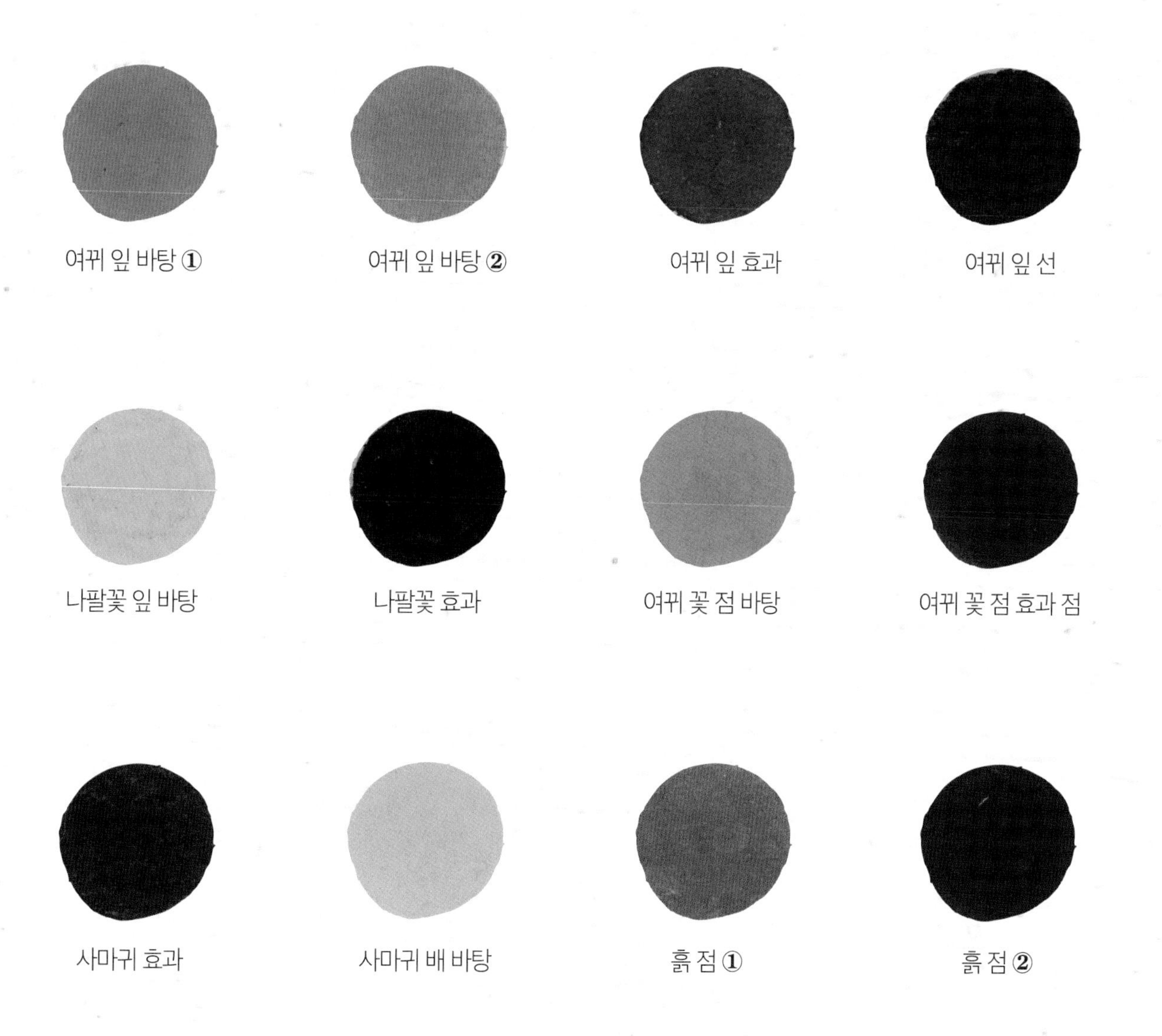

여뀌 잎 바탕 ① 녹청 + 호분 + 황토 | 효과 : 녹청 + 대자 | 선 : 녹청 + 대자 | 꽃점 바탕 : 양홍 + 호분, 효과(점) : 양홍 + 연지
여뀌 잎 바탕 ② 호분 + 녹청 + 황토 | 줄기효과: 녹청 + 대자 | 선: 녹청 + 황토 + 호분
나팔꽃 잎 바탕 군청 + 호분 + 황토(약) | 효과·선 : 군청 + 황토 | 흙점 ① : 황토 + 대자 + 검정(약) | 흙점 ② : 대자 + 황토 + 검정
사마귀 바탕 녹청 + 호분 + 황토 | 배 바탕 : 호분 + 황토(약) | 효과·선 : 양홍 + 연지

3

오이와 개미취

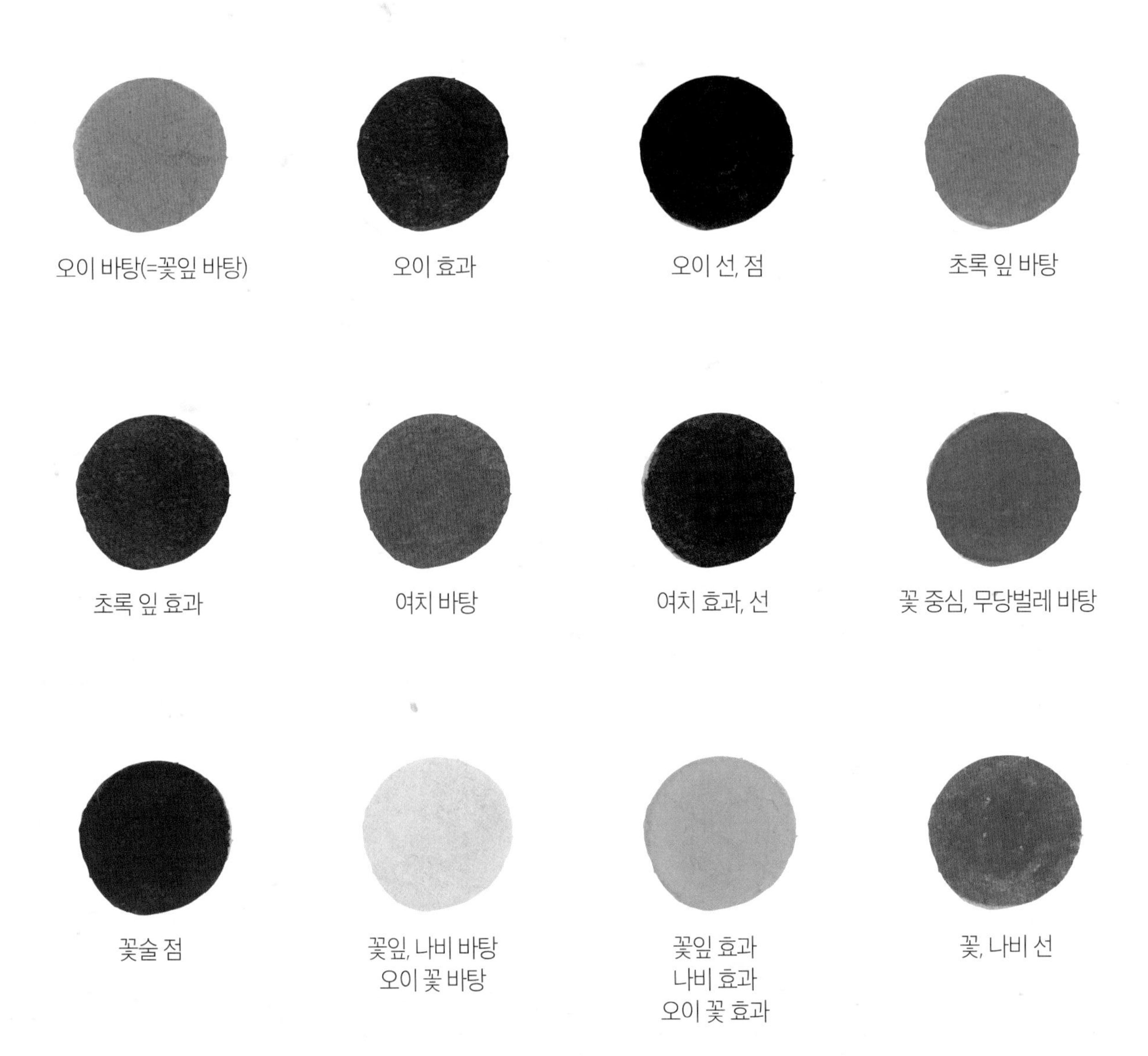

오이 바탕 녹청 + 호분 + 황토 | 효과 : 녹청 + 대자(연한 농담) | 선·점 : 녹청 + 군청

오이 잎 바탕 녹청 + 호분 + 황토 + 대자 | 효과·선 : 녹청 + 대자(연하게) | 오이 점 : 녹청 + 대자 + 수감

오이 꽃 · 꽃잎 · 나비 바탕 호분, 효과 : 황토 + 대자 | 꽃술 점 : 주홍 + 연지

괴석과 꽃

초록 잎 바탕

노랑 잎 바탕

초록 잎 효과, 나비 점

노랑잎 효과·선
흰꽃 효과·선

초록 잎 선, 나비 점

흰꽃 꽃술 점

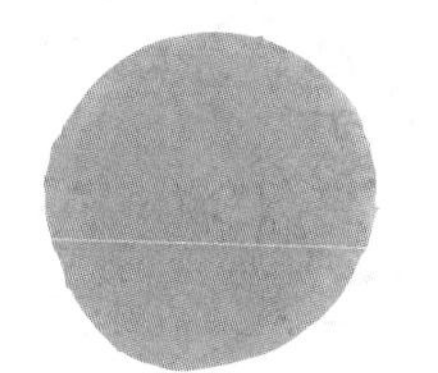
바위 바탕, 나비 바탕,
하늘소 바탕

바위 효과 ①, 나비 효과, 하늘소 효과

바위 효과 ②, 나비 효과,
하늘소 효과

초록 잎 바탕 약엽 + 황토 + 대자
초록 잎 효과 약엽 + 녹청 + 대자
초록 잎 선 · 나비 점 녹청 + 대자
노랑 잎 바탕 황토 + 호분 + 녹청(약)

노랑 잎(흰꽃 잎) 효과 · 선 대자 + 황토
하늘소 · 나비 · 바위 바탕 황토 + 호분
바위① · 나비 · 하늘소 효과 황토 + 대자 + 검정
바위② 효과 녹청 + 군청

남윤희 <초충도> 22×32㎝×2

남윤희 <화훼절지도> 60×40㎝

남윤희 <화접도> 45×30㎝

남윤희 <군접도> 27×87cm

남윤희 <화접도> 35×140cm×2

남윤희 <화접도> 90×27㎝

부록

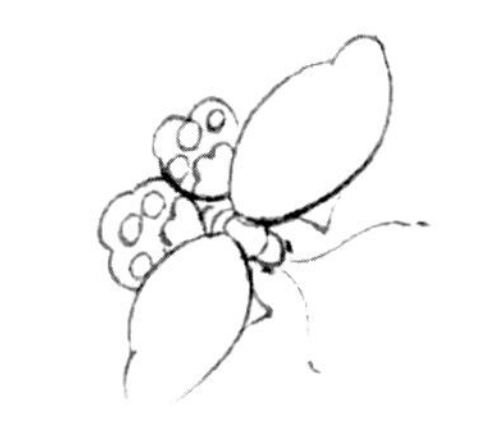

2022년 10월 14일 2쇄 인쇄
2022년 10월 20일 2쇄 발행

지은이. 남윤희
펴낸이. 유정서
펴낸곳. 월간민화/(주)디자인밈
주소. 서울시 종로구 삼일대로 30길 10-3 각연빌딩 6층
전화. 02-765-3812
팩스. 02-6959-3817
홈페이지. www.minhwamall.com
ISBN 979-11-969249-3-5
정가 20,000원

© 2022. 남윤희 all rights reserved.
저작권자나 발행인의 승인 없이 이 책의 전부 혹은 일부를 무단 복사, 복제, 전재하는 행위는 저작권법에 위반됩니다.